Barack Obama

Disfruta de todos nuestros libros gratis...

Interesantes biografías, atractivas presentaciones y más. Únete al exclusivo club de críticos de la Biblioteca Unida!
Recibirás un nuevo libro en tu buzón cada viernes.
Únase a nosotros hoy, vaya a:
https://campsite.bio/unitedlibrary

Introducción

Barack Obama fue el 44° presidente de los Estados Unidos y el primer comandante en jefe afroamericano. Cumplió dos mandatos, en 2008 y 2012. Hijo de padres de Kenya y Kansas, Obama nació y se crió en Hawai. Se graduó en la Universidad de Columbia y en la Facultad de Derecho de Harvard, donde fue presidente de la Harvard Law Review.

Después de servir en el Senado del Estado de Illinois, fue elegido senador de EE.UU. en representación de Illinois en 2004. Él y su esposa Michelle Obama tienen dos hijas, Malia y Sasha.

"El cambio no vendrá si esperamos a otra persona o a otro momento. Somos los que hemos estado esperando. Somos el cambio que buscamos". - Barack Obama

Esta es la biografía descriptiva y concisa de Barack Obama.

Índice

Barack Obama

Barack Hussein Obama II (nacido el 4 de agosto de 1961) es un político y abogado estadounidense que fue el 44° presidente de los Estados Unidos de 2009 a 2017. Miembro del Partido Demócrata, Obama fue el primer presidente afroamericano de los Estados Unidos. Anteriormente fue senador de los Estados Unidos por Illinois de 2005 a 2008 y senador del estado de Illinois de 1997 a 2004.

Obama nació en Honolulu, Hawaii. Después de graduarse en la Universidad de Columbia en 1983, trabajó como organizador comunitario en Chicago. En 1988, se matriculó en la Facultad de Derecho de Harvard, donde fue la primera persona negra en ser presidente de la Harvard *Law Review*.

Después de graduarse, se convirtió en abogado de derechos civiles y en académico, enseñando derecho constitucional en la Facultad de Derecho de la Universidad de Chicago de 1992 a 2004. En cuanto a la política electiva, representó al 13° distrito desde 1997 hasta 2004 en el Senado de Illinois, cuando se presentó como candidato al Senado de los Estados Unidos. Obama recibió atención nacional en 2004 con su victoria en las primarias del Senado en marzo, su bien recibido discurso de apertura en la Convención Nacional Demócrata de julio y su aplastante elección en noviembre para el Senado.

En 2008, fue nominado para presidente un año después de que comenzara su campaña presidencial, y tras una reñida campaña de primarias contra Hillary Clinton, Obama fue elegido por encima del nominado republicano John McCain y tomó posesión junto con Joe Biden el 20 de enero de 2009. Nueve meses después, fue nombrado el ganador del Premio Nobel de la Paz de 2009.

Obama firmó muchos proyectos de ley históricos durante sus dos primeros años en el cargo. Las principales reformas que se aprobaron incluyen la Ley de Atención Asequible (comúnmente conocida como ACA u "Obamacare"), aunque sin opción de seguro médico público, la Ley de Reforma y Protección al Consumidor de Dodd-Frank Wall Street, y la Ley de Derogación "Don't Ask, Don't Tell" de 2010. La Ley de recuperación y reinversión de los Estados Unidos de 2009 y la Ley de alivio tributario, reautorización del seguro de desempleo y creación de empleo de 2010 sirvieron de estímulo económico en medio de la Gran Recesión.

Después de un largo debate sobre el límite de la deuda nacional, firmó el Control Presupuestario y las Leyes de Alivio al Contribuyente Americano. En política exterior, aumentó los niveles de tropas estadounidenses en Afganistán, redujo las armas nucleares con el Nuevo Tratado START entre Estados Unidos y Rusia, y puso fin a la participación militar en la Guerra de Irak. Ordenó la participación militar en Libia para la aplicación de la Resolución del Consejo de Seguridad de la ONU de 1973, contribuyendo al derrocamiento de Muammar Gaddafi. También ordenó las operaciones militares que resultaron en la muerte de Osama bin Laden y el presunto operativo yemení de Al-Qaeda, Anwar al-Awlaki.

Después de ganar la reelección al derrotar a su oponente republicano Mitt Romney, Obama juró un segundo mandato en 2013. Durante este mandato, promovió la inclusión de los americanos LGBT. Su administración presentó escritos que instaban a la Corte Suprema a anular las prohibiciones de matrimonio entre personas del mismo sexo por considerarlas inconstitucionales (*Estados Unidos contra Windsor* y *Obergefell contra Hodges*); el matrimonio entre personas del mismo sexo se legalizó en todo el país en 2015 después de que la Corte lo dictaminara en *Obergefell*. Abogó por el control de las armas en respuesta al tiroteo en la escuela primaria Sandy Hook, indicando su apoyo a la prohibición de las armas de asalto, y emitió amplias medidas ejecutivas relativas al calentamiento global y la inmigración.

En política exterior, ordenó la intervención militar en Irak en respuesta a los logros alcanzados por ISIL después de la retirada de Irak en 2011, continuó el proceso de finalización de las operaciones de combate de EE.UU. en Afganistán en 2016, promovió las discusiones que condujeron al Acuerdo de París de 2015 sobre el cambio climático global, inició las sanciones contra Rusia después de la invasión en Ucrania y de nuevo después de la interferencia rusa en las elecciones de Estados Unidos de 2016, actuó como intermediario en el acuerdo nuclear del JCPOA con Irán y normalizó las relaciones de EE.UU. con Cuba. Obama nombró a tres jueces para la Corte Suprema: Sonia Sotomayor y Elena Kagan fueron confirmadas como jueces, mientras que Merrick Garland se enfrentó a la obstrucción partidista del Senado liderado por los republicanos, que nunca celebró audiencias o una votación sobre la nominación.

Durante el mandato de Obama, la reputación de los Estados Unidos en el extranjero, así como la economía estadounidense, mejoró significativamente. Su presidencia ha sido generalmente considerada favorablemente, y las evaluaciones de su presidencia entre los historiadores, los politólogos y el público en general lo sitúan frecuentemente entre los presidentes estadounidenses de mayor rango. Obama dejó el cargo en enero de 2017 y sigue residiendo en Washington, D.C.

Hecho: ¿Sabías que el primer nombre de Obama tiene un significado especial? Su primer nombre significa "uno que es bendecido" en Swahili.

Los comienzos de la vida y la carrera

Obama nació el 4 de agosto de 1961 en el Centro Médico Kapiolani para Mujeres y Niños en Honolulu, Hawai. Es el único presidente nacido fuera de los 48 estados contiguos. Nació de madre americana de ascendencia europea y padre africano. Su madre, Ann Dunham (1942-1995), nació en Wichita, Kansas; era en su mayoría de ascendencia inglesa, con algunos antepasados alemanes, irlandeses, escoceses, suizos y galeses.

En julio de 2012, Ancestry.com encontró una fuerte probabilidad de que Dunham descendiera de John Punch, un africano esclavizado que vivió en la Colonia de Virginia durante el siglo XVII. El padre de Obama, Barack Obama Sr. (1936-1982), era un keniano casado Luo de Nyang'oma Kogelo. Los padres de Obama se conocieron en 1960 en una clase de lengua rusa en la Universidad de Hawai en Manoa, donde su padre era un estudiante extranjero becado. La pareja se casó en Wailuku, Hawaii, el 2 de febrero de 1961, seis meses antes de que Obama naciera.

A finales de agosto de 1961, unas semanas después de su nacimiento, Barack y su madre se trasladaron a la Universidad de Washington en Seattle, donde vivieron durante un año. Durante ese tiempo, el anciano Obama completó su licenciatura en economía en Hawai, graduándose en junio de 1962. Se fue para asistir a la escuela de posgrado con una beca en la Universidad de Harvard, donde obtuvo una maestría en economía. Los padres de Obama se divorciaron en marzo de 1964.

Obama padre regresó a Kenya en 1964, donde se casó por tercera vez y trabajó para el gobierno keniano como analista económico principal en el Ministerio de Finanzas. Visitó a su hijo en Hawai sólo una vez, en la Navidad de 1971, antes de que muriera en un accidente automovilístico en 1982, cuando Obama tenía 21 años.

Recordando su primera infancia, Obama dijo: "Que mi padre no se parecía en nada a la gente que me rodeaba, que era negro como el alquitrán, mi madre blanca como la leche, apenas se registraba en mi mente". Describió sus luchas como joven adulto para conciliar las percepciones sociales de su herencia multirracial.

En 1963, Dunham conoció a Lolo Soetoro en la Universidad de Hawai; era un estudiante graduado en geografía del Centro Este-Oeste de Indonesia. La pareja se casó en Molokai el 15 de marzo de 1965. Después de dos prórrogas de un año de su visado J-1, Lolo volvió a Indonesia en 1966. Su esposa y su hijastro le siguieron dieciséis meses después en 1967. La familia vivió inicialmente en el barrio Menteng Dalam en el subdistrito Tebet del sur de Yakarta. A partir de 1970, vivieron en un barrio más rico en el subdistrito de Menteng en el centro de Yakarta.

Educación

"La educación superior no puede ser un lujo reservado sólo para unos pocos privilegiados. Es una necesidad económica para cada familia. Y cada familia debería poder permitírselo". - Barack Obama

Cuando tenía seis años, Obama y su madre se trasladaron a Indonesia para reunirse con su padrastro; de los seis a los diez años, asistió a las escuelas locales de lengua indonesia: *Sekolah Dasar Katolik Santo Fransiskus Asisi* (Escuela Elemental Católica San Francisco de Asís) durante dos años y *Sekolah Dasar Negeri Menteng* 01 (Escuela Elemental Estatal Menteng 01) durante un año y medio, complementado por la enseñanza en casa de su madre en la Escuela Calvert de lengua inglesa.

Como resultado de esos cuatro años en Yakarta, pudo hablar indonesio con fluidez de niño. Durante su estancia en Indonesia, el padrastro de Obama le enseñó a ser resistente y le dio "una evaluación bastante testaruda de cómo funciona el mundo".

En 1971, Obama regresó a Honolulú para vivir con sus abuelos maternos, Madelyn y Stanley Dunham. Asistió a la Escuela Punahou, una escuela privada de preparación para la universidad, con la ayuda de una beca desde el quinto grado hasta que se graduó de la escuela secundaria en 1979.

En su juventud, Obama se hizo llamar "Barry". Obama vivió con su madre y su hermanastra, Maya Soetoro, en Hawai durante tres años, de 1972 a 1975, mientras su madre era estudiante de posgrado en antropología en la Universidad de Hawai. Obama optó por quedarse en Hawai con sus abuelos para asistir a la escuela secundaria en Punahou cuando su madre y su hermanastra regresaron a Indonesia en 1975, para que su madre pudiera comenzar el trabajo de campo de la antropología. Su madre pasó la mayor parte de los dos decenios siguientes en Indonesia, divorciándose de Lolo en 1980 y obteniendo un doctorado en 1992, antes de morir en 1995 en Hawai tras un tratamiento infructuoso del cáncer de ovario y de útero.

Obama reflexionó más tarde sobre sus años en Honolulu y escribió:

"La oportunidad que Hawaii ofreció de experimentar una variedad de culturas en un clima de respeto mutuo, se convirtió en parte integral de mi visión del mundo, y en la base de los valores que más aprecio". Obama también ha escrito y hablado sobre el consumo de alcohol, marihuana y cocaína durante su adolescencia para "sacar de mi mente las preguntas sobre quién era yo". Obama también fue miembro de la "pandilla choom", un grupo autodenominado de amigos que pasaban tiempo juntos y ocasionalmente fumaban marihuana.

Después de graduarse de la escuela secundaria en 1979, Obama se trasladó a Los Ángeles para asistir a la Universidad Occidental con una beca completa. En febrero de 1981, Obama hizo su primer discurso público, pidiendo que Occidental participara en la desinversión de Sudáfrica en respuesta a la política de apartheid de esa nación. A mediados de 1981, Obama viajó a Indonesia para visitar a su madre y su media hermana Maya, y visitó a las familias de amigos universitarios en el Pakistán y la India durante tres semanas.

Más tarde, en 1981, se trasladó a la Universidad de Columbia en la ciudad de Nueva York como estudiante de tercer año, donde se especializó en ciencias políticas con una especialidad en relaciones internacionales y en literatura inglesa, y vivió fuera del campus en la calle 109 Oeste. Se graduó con una licenciatura en 1983 y un promedio de 3.7. Después de graduarse, Obama trabajó durante aproximadamente un año en la Corporación Internacional de Negocios, donde fue investigador financiero y escritor, y luego como coordinador de proyectos para el Grupo de Investigación de Interés Público de Nueva York en el campus del City College de Nueva York durante tres meses en 1985.

La vida familiar y personal

En una entrevista de 2006, Obama destacó la diversidad de su familia extendida: "Es como una pequeña mini-Naciones Unidas", dijo. "Tengo parientes que se parecen a Bernie Mac, y tengo parientes que se parecen a Margaret Thatcher". Obama tiene una media hermana con la que fue criado (Maya Soetoro-Ng) y otros siete medios hermanos de la familia de su padre keniata, seis de los cuales viven. A la madre de Obama le sobrevivió su madre, nacida en Kansas, Madelyn Dunham, hasta su muerte el 2 de noviembre de 2008, dos días antes de su elección a la Presidencia. Obama también tiene raíces en Irlanda; se reunió con sus primos irlandeses en Moneygall en mayo de 2011. En *Dreams from My Father*, Obama vincula la historia familiar de su madre con posibles antepasados nativos americanos y parientes lejanos de Jefferson Davis, Presidente de los Estados Confederados de América durante la Guerra Civil Americana. También comparte antepasados lejanos en común con George W. Bush y Dick Cheney, entre otros.

Obama vivió con la antropóloga Sheila Miyoshi Jager mientras era un organizador comunitario en Chicago en los años 80. Le propuso matrimonio dos veces, pero tanto Jager como sus padres lo rechazaron. La relación no se hizo pública hasta mayo de 2017, varios meses después de que su presidencia hubiera terminado.

En junio de 1989, Obama conoció a Michelle Robinson cuando trabajaba como asociado de verano en el bufete de abogados de Sidley Austin en Chicago. Robinson fue asignada durante tres meses como asesora de Obama en la firma, y ella se unió a él en varias funciones sociales de grupo pero rechazó sus peticiones iniciales hasta la fecha. Comenzaron a salir ese verano, se comprometieron en 1991 y se casaron el 3 de octubre de 1992. Después de sufrir un aborto espontáneo, Michelle se sometió a la fecundación in vitro para concebir a sus hijos.

La primera hija de la pareja, Malia Ann, nació en 1998, seguida de una segunda hija, Natasha ("Sasha"), en 2001.

Las hijas de Obama asistieron a las escuelas de laboratorio de la Universidad de Chicago. Cuando se mudaron a Washington, D.C., en enero de 2009, las niñas comenzaron en la Escuela de Amigos de Sidwell. Los Obama tienen dos perros de agua portugueses; el primero, un macho llamado Bo, fue un regalo del senador Ted Kennedy. En 2013, a Bo se le unió Sunny, una hembra.

Obama es partidario de los Medias Blancas de Chicago, y lanzó el primer lanzamiento en la ALCS de 2005 cuando todavía era senador. En 2009, lanzó el primer lanzamiento ceremonial en el Juego de las Estrellas con una chaqueta de los White Sox. También es principalmente un fanático del fútbol americano de los Chicago Bears en la NFL, pero en su niñez y adolescencia fue un fanático de los Pittsburgh Steelers, y los apoyó antes de su victoria en el Super Bowl XLIII 12 días después de que asumiera el cargo de presidente.

En 2011, Obama invitó a los Osos de Chicago de 1985 a la Casa Blanca; el equipo no había visitado la Casa Blanca después de su victoria en el Super Bowl en 1986 debido al desastre del Challenger del transbordador espacial. Él juega al baloncesto, un deporte en el que participó como miembro del equipo universitario de su escuela secundaria, y es zurdo.

En 2005, la familia Obama aplicó las ganancias de un acuerdo de libro y se mudó de un condominio en Hyde Park, Chicago, a una casa de 1,6 millones de dólares (equivalente a 2,1 millones de dólares en 2019) en la vecina Kenwood, Chicago. La compra de un lote adyacente -y la venta de parte de él a Obama por la esposa del promotor, donante de la campaña y amigo Tony

Rezko- atrajo la atención de los medios de comunicación debido a la posterior acusación y condena de Rezko por cargos de corrupción política que no estaban relacionados con Obama.

En diciembre de 2007, la revista *Money estimó* el patrimonio neto de Obama en 1,3 millones de dólares (equivalente a 1,6 millones de dólares en 2019) . Su declaración de impuestos de 2009 mostró un ingreso familiar de 5,5 millones de dólares, por encima de los 4,2 millones de 2007 y 1,6 millones de 2005, principalmente por la venta de sus libros. De sus ingresos de 2010, de 1,7 millones de dólares, donó el 14% a organizaciones sin fines de lucro, incluidos 131.000 dólares a la Fisher House Foundation, una organización benéfica que ayuda a las familias de los veteranos heridos, permitiéndoles residir cerca de donde el veterano recibe tratamientos médicos. Según su declaración financiera de 2012, Obama podría valer hasta 10 millones de dólares.
A principios de 2010, Michelle habló sobre el hábito de fumar de su marido y dijo que Barack había dejado de fumar.

En su 55º cumpleaños, el 4 de agosto de 2016, Obama escribió un ensayo en *Glamour*, en el que describió cómo sus hijas y la presidencia lo han convertido en un feminista.

Las opiniones religiosas

"Y haré todo lo que pueda mientras sea Presidente de los Estados Unidos para recordar al pueblo americano que somos una nación bajo Dios, y que podemos llamar a ese

Dios diferentes nombres pero seguimos siendo una nación." - Barack Obama

Obama es un cristiano protestante cuyas opiniones religiosas se desarrollaron en su vida adulta. Escribió en "La Audacia *de la Esperanza"* que "no fue criado en un hogar religioso". Describió a su madre, criada por padres no religiosos, como separada de la religión, pero "en muchos sentidos la persona más espiritualmente despierta ... que he conocido", y "un testigo solitario del humanismo secular". Describió a su padre como un "ateo confirmado" cuando sus padres se conocieron, y a su padrastro como "un hombre que veía la religión como algo no particularmente útil". Obama explicó cómo, al trabajar con las iglesias negras como organizador de la comunidad cuando tenía 20 años, llegó a comprender "el poder de la tradición religiosa afroamericana para estimular el cambio social".

En enero de 2008, Obama dijo a *Christianity Today*: "Soy un cristiano, y soy un cristiano devoto. Creo en la muerte redentora y la resurrección de Jesucristo. Creo que la fe me da un camino para ser limpiado del pecado y tener la vida eterna". El 27 de septiembre de 2010, Obama emitió una declaración comentando sus puntos de vista religiosos, diciendo:

Soy cristiano por elección. Mi familia no... no eran personas que fueran a la iglesia todas las semanas. Y mi madre era una de las personas más espirituales que conocía, pero no me crió en la iglesia. Así que llegué a mi fe cristiana más tarde en la vida, y fue porque los preceptos de Jesucristo me hablaron en términos del tipo de vida que querría llevar, siendo el guardián de mis hermanos y hermanas, tratando a los demás como me tratarían a mí.

Obama conoció al pastor de la Iglesia Unida de Cristo Trinity, Jeremiah Wright, en octubre de 1987 y se convirtió en miembro de Trinity en 1992. Durante la primera campaña presidencial de Obama en mayo de 2008, renunció a Trinity después de que algunas de las declaraciones de Wright fueran criticadas. Desde que se mudó a Washington, D.C., en 2009, la familia Obama ha asistido a varias iglesias protestantes, entre ellas la Iglesia Bautista de Shiloh y la Iglesia Episcopal de San Juan, así como a la Capilla Evergreen de Camp David, pero los miembros de la familia no asisten a la iglesia con regularidad.

La carrera de derecho

Organizador comunitario y Facultad de Derecho de Harvard

Dos años después de graduarse en Columbia, Obama se trasladó de Nueva York a Chicago cuando fue contratado como director del Proyecto de Comunidades en Desarrollo, una organización comunitaria de base eclesiástica que originalmente comprendía ocho parroquias católicas en Roseland, West Pullman y Riverdale en el South Side de Chicago. Trabajó allí como organizador comunitario desde junio de 1985 hasta mayo de 1988. Ayudó a crear un programa de formación laboral, un programa de tutoría preparatoria para la universidad y una organización de derechos de los inquilinos en Altgeld Gardens. Obama también trabajó como consultor e instructor para la Fundación Gamaliel, un instituto de organización comunitaria.

A mediados de 1988, viajó por primera vez a Europa durante tres semanas y luego durante cinco semanas a Kenya, donde conoció a muchos de sus parientes paternos por primera vez.

A pesar de que se le ofreció una beca completa para la Facultad de Derecho de la Universidad Northwestern, Obama se matriculó en la Facultad de Derecho de Harvard en el otoño de 1988, viviendo en la cercana Somerville, Massachusetts. Fue seleccionado como editor de la Revista de Derecho *de Harvard* al final de su primer año, presidente de la revista en su segundo año, y asistente de investigación del erudito constitucional Laurence Tribe mientras estuvo en Harvard durante dos años. Durante sus veranos, regresó a Chicago, donde trabajó como asociado de verano en los bufetes de abogados de Sidley Austin en 1989 y Hopkins & Sutter en 1990.

Después de graduarse con un grado de JD *magna cum laude de Harvard* en 1991, regresó a Chicago. La elección de Obama como el primer presidente negro de la Revista de *Derecho de Harvard* ganó la atención de los medios nacionales y llevó a un contrato de publicación y un avance para un libro sobre las relaciones raciales, que se convirtió en una memoria personal. El manuscrito fue publicado a mediados de 1995 como "Sueños *de mi padre".*

Facultad de Derecho de la Universidad de Chicago y abogado de derechos civiles

En 1991, Obama aceptó un puesto de dos años como profesor visitante de derecho y gobierno en la Facultad de Derecho de la Universidad de Chicago para trabajar en su primer libro. Luego enseñó derecho constitucional en la Facultad de Derecho de la Universidad de Chicago durante doce años, primero como conferenciante de 1992 a 1996, y luego como conferenciante principal de 1996 a 2004.

De abril a octubre de 1992, Obama dirigió el Proyecto Voto de Illinois, una campaña de inscripción de votantes con diez empleados y setecientos registradores voluntarios; logró su objetivo de inscribir a 150.000 de los 400.000 afroamericanos no inscritos en el estado, lo que llevó a *Crain's Chicago Business* a nombrar a Obama en su lista de 1993 de los "40 menores de 40 años" que están en condiciones de serlo.

Se unió a Davis, Miner, Barnhill & Galland, un bufete de 13 abogados especializados en litigios de derechos civiles y desarrollo económico de barrios, donde fue asociado durante tres años, de 1993 a 1996, y luego abogado de 1996 a 2004.

En 1994, fue uno de los abogados en el caso *Buycks-Roberson contra el Citibank Fed. Sav. Bank*, 94 C 4094 (N.D. Ill.). Esta demanda colectiva se presentó en 1994 con Selma Buycks-Roberson como demandante principal y en ella se alegaba que el Citibank Federal Savings Bank había realizado prácticas prohibidas en virtud de la Ley de igualdad de oportunidades de crédito y la Ley de vivienda equitativa. El caso se resolvió fuera de los tribunales. La sentencia final fue emitida el 13 de mayo de 1998, con el Citibank Federal Savings Bank aceptando pagar los honorarios de los abogados. Su licencia de abogado quedó inactiva en 2007.

De 1994 a 2002, Obama fue miembro de las juntas directivas del Woods Fund de Chicago -que en 1985 había sido la primera fundación en financiar el Proyecto de Comunidades en Desarrollo- y de la Joyce Foundation. Fue miembro de la junta directiva del Chicago Annenberg Challenge de 1995 a 2002, como presidente fundador y presidente de la junta directiva de 1995 a 1999.

Carrera legislativa

Senador del Estado de Illinois (1997-2004)

Hecho: Como senador estatal, patrocinó y dirigió la aprobación de la primera ley de perfil racial de Illinois, que requiere que la policía grabe en video los interrogatorios de homicidios.
Obama fue elegido para el Senado de Illinois en 1996, sucediendo a la senadora estatal demócrata Alice Palmer del distrito 13 de Illinois, que en ese momento abarcaba los barrios del lado sur de Chicago, desde Hyde Park-Kenwood al sur hasta South Shore y al oeste hasta Chicago Lawn. Una vez elegido, Obama obtuvo el apoyo bipartidista para la legislación que reformó la ética y las leyes de atención de la salud. Patrocinó una ley que aumentó los créditos fiscales para los trabajadores de bajos ingresos, negoció la reforma de la asistencia social y promovió el aumento de los subsidios para el cuidado de los niños.

En 2001, en su calidad de copresidente del Comité Mixto bipartidista sobre Normas Administrativas, Obama apoyó el reglamento de préstamos de día de pago del gobernador republicano Ryan y el reglamento de préstamos hipotecarios depredadores destinado a evitar las ejecuciones hipotecarias.

Fue reelegido al Senado de Illinois en 1998, derrotando al republicano Yesse Yehudah en las elecciones generales, y fue reelegido de nuevo en 2002. En 2000, perdió la elección primaria demócrata del primer distrito del Congreso de Illinois en la Cámara de Representantes de los Estados Unidos frente al titular de cuatro mandatos Bobby Rush por un margen de dos a uno.

En enero de 2003, Obama se convirtió en presidente del Comité de Salud y Servicios Humanos del Senado de Illinois cuando los demócratas, después de una década en la minoría, recuperaron la mayoría. Patrocinó y dirigió la aprobación unánime y bipartidista de la legislación para vigilar la elaboración de perfiles raciales, exigiendo a la policía que grabara la raza de los conductores que detuviera, y la legislación que convertía a Illinois en el primer estado que ordenaba la grabación en vídeo de los interrogatorios por homicidio.

Durante su campaña para las elecciones generales de 2004 para el Senado de los Estados Unidos, los representantes de la policía dieron crédito a Obama por su participación activa con las organizaciones policiales en la promulgación de las reformas de la pena de muerte. Obama renunció al Senado de Illinois en noviembre de 2004 tras su elección al Senado de los Estados Unidos.

"Uno de los retos de un gobierno democrático es asegurarse de que, incluso en medio de las emergencias y las pasiones, nos aseguremos de que prevalezcan el estado de derecho y los preceptos básicos de justicia y libertad". - Barack Obama

Campaña para el Senado de los Estados Unidos en 2004

En mayo de 2002, Obama encargó una encuesta para evaluar sus perspectivas en una carrera por el Senado de los Estados Unidos en 2004. Creó un comité de campaña, comenzó a recaudar fondos y alineó al consultor de medios políticos David Axelrod en agosto de 2002.

Obama anunció formalmente su candidatura en enero de 2003.

Obama fue uno de los primeros opositores de la invasión de Irak de la administración de George W. Bush en 2003. El 2 de octubre de 2002, el día en que el Presidente Bush y el Congreso acordaron la resolución conjunta que autorizaba la guerra de Irak, Obama se dirigió a la primera manifestación de alto nivel en Chicago contra la guerra de Irak, y habló en contra de la guerra. Se dirigió a otro mitin anti-guerra en marzo de 2003 y dijo a la multitud que "no es demasiado tarde" para detener la guerra.

Las decisiones del titular republicano Peter Fitzgerald y de su predecesora demócrata Carol Moseley Braun de no participar en las elecciones dieron lugar a amplias competiciones primarias demócratas y republicanas en las que participaron 15 candidatos. En las elecciones primarias de marzo de 2004, Obama ganó en una inesperada victoria que lo convirtió de la noche a la mañana en una estrella en ascenso dentro del Partido Demócrata nacional, inició las especulaciones sobre un futuro presidencial y llevó a la reedición de sus memorias, *Dreams from My Father*.

En julio de 2004, Obama pronunció el discurso de apertura de la Convención Nacional Demócrata de 2004, que fue visto por nueve millones de espectadores. Su discurso fue bien recibido y elevó su estatus dentro del Partido Demócrata.

El esperado oponente de Obama en las elecciones generales, el ganador de las primarias republicanas, Jack Ryan, se retiró de la carrera en junio de 2004. Seis semanas después, Alan Keyes aceptó la nominación republicana para reemplazar a Ryan. En las elecciones generales de noviembre de 2004, Obama ganó con el 70% de los votos.

Senador de Illinois (2005-08)

Obama prestó juramento como senador el 3 de enero de 2005, convirtiéndose en el único miembro del Senado del Grupo Negro del Congreso. *CQ Weekly lo caracterizó* como un "demócrata leal" basándose en el análisis de todos los votos del Senado de 2005 a 2007. Obama anunció el 13 de noviembre de 2008 que renunciaría a su escaño en el Senado el 16 de noviembre de 2008, antes de que comenzara la sesión de los patos, para centrarse en su período de transición a la presidencia.

Legislación

Obama copatrocinó la Ley de Inmigración Segura y Ordenada. Presentó dos iniciativas que llevaban su nombre: Lugar-Obama, que amplió el concepto de Reducción Cooperativa de la Amenaza de Nunn-Lugar a las armas convencionales; y la Ley de Responsabilidad y Transparencia de la Financiación Federal de 2006, que autorizó el establecimiento de USAspending.gov, un motor de búsqueda en la web sobre el gasto federal.

El 3 de junio de 2008, el senador Obama, junto con los senadores Tom Carper, Tom Coburn y John McCain, presentó una legislación de seguimiento: Ley de Fortalecimiento de la Transparencia y la Rendición de Cuentas en el Gasto Federal de 2008.

Obama patrocinó una legislación que habría requerido que los propietarios de las plantas nucleares notificaran a las autoridades estatales y locales de las fugas radiactivas, pero el proyecto de ley no fue aprobado en el pleno del Senado después de haber sido fuertemente modificado en comisión. En cuanto a la reforma de los daños, Obama votó a favor de la Ley de Equidad en las Demandas Colectivas de 2005 y la Ley de Enmiendas a la FISA de 2008, que otorga inmunidad de responsabilidad civil a las empresas de telecomunicaciones que sean cómplices de las operaciones de escucha telefónica sin orden judicial de la NSA.

En diciembre de 2006, el Presidente Bush firmó la Ley de socorro, seguridad y promoción de la democracia de la República Democrática del Congo, lo que constituyó la primera legislación federal promulgada con Obama como principal patrocinador.

En enero de 2007, Obama y el senador Feingold introdujeron una disposición relativa a los aviones corporativos en la Ley de Liderazgo Honesto y Gobierno Abierto, que se promulgó en septiembre de 2007. Obama también presentó dos proyectos de ley que no tuvieron éxito: la Ley de prevención de prácticas engañosas y de intimidación de los votantes para tipificar como delito las prácticas engañosas en las elecciones federales, y la Ley de desescalada de la guerra en el Iraq de 2007.

Más tarde en 2007, Obama patrocinó una enmienda a la Ley de Autorización de la Defensa para añadir salvaguardias para las bajas militares por trastornos de personalidad. Esta enmienda fue aprobada por el pleno del Senado en la primavera de 2008. Patrocinó la Ley de habilitación de sanciones contra el Irán, que apoya la desinversión de los fondos de pensiones estatales de la industria del petróleo y el gas del Irán, que nunca se promulgó pero que posteriormente se incorporó a la Ley de sanciones, responsabilidad y desinversión integral del Irán de 2010; y copatrocinó la legislación para reducir los riesgos de terrorismo nuclear. Obama también patrocinó una enmienda del Senado al Programa Estatal de Seguro Médico Infantil, que proporciona un año de protección laboral para los miembros de la familia que cuidan a los soldados con lesiones relacionadas con el combate.

Comités

Obama ocupó cargos en las Comisiones del Senado de Relaciones Exteriores, Medio Ambiente y Obras Públicas y Asuntos de los Veteranos hasta diciembre de 2006. En enero de 2007, dejó la Comisión de Medio Ambiente y

Obras Públicas y asumió otras tareas en las áreas de Salud, Educación, Trabajo y Pensiones y Seguridad Nacional y Asuntos Gubernamentales. También se convirtió en Presidente del subcomité del Senado para Asuntos Europeos.

Como miembro del Comité de Relaciones Exteriores del Senado, Obama hizo viajes oficiales a Europa del Este, Oriente Medio, Asia Central y África. Se reunió con Mahmoud Abbas antes de que éste se convirtiera en Presidente de la Autoridad Nacional Palestina y pronunció un discurso en la Universidad de Nairobi en el que condenó la corrupción dentro del gobierno de Kenia.

Campañas presidenciales

2008

El 10 de febrero de 2007, Obama anunció su candidatura a la presidencia de los Estados Unidos frente al edificio del antiguo Capitolio del Estado en Springfield, Illinois. La elección del lugar del anuncio se consideró simbólica porque fue también el lugar donde Abraham Lincoln pronunció su histórico discurso "House Divided" en 1858. Obama hizo hincapié en las cuestiones de poner fin rápidamente a la guerra del Iraq, aumentar la independencia energética y reformar el sistema de atención de la salud, en una campaña que proyectaba temas de esperanza y cambio.

Numerosos candidatos entraron en las primarias presidenciales del Partido Demócrata. El campo se redujo a un duelo entre Obama y la senadora Hillary Clinton después de las primeras contiendas, y la carrera se mantuvo reñida durante todo el proceso de las primarias, pero Obama obtuvo una ventaja constante en cuanto a delegados comprometidos debido a una mejor planificación a largo plazo, una mejor recaudación de fondos, una organización dominante en los estados del caucus y una mejor explotación de las normas de asignación de delegados. El 7 de junio de 2008, Clinton terminó su campaña y apoyó a Obama.

El 23 de agosto de 2008, Obama anunció su elección del senador de Delaware Joe Biden como su compañero de fórmula para la vicepresidencia. Obama seleccionó a Biden de un campo en el que se especulaba que incluía al ex gobernador y senador de Indiana Evan Bayh y al gobernador de Virginia Tim Kaine. En la Convención Nacional Demócrata de Denver (Colorado), Hillary Clinton pidió a sus partidarios que apoyaran a Obama, y ella y Bill Clinton pronunciaron discursos en la convención en su apoyo. Obama pronunció su discurso de aceptación, no en el centro donde se celebró la Convención Nacional Demócrata, sino en el Invesco Field en Mile High ante una multitud de unos ochenta y cuatro mil espectadores; el discurso fue visto por más de tres millones de personas en todo el mundo.

Tanto en el proceso de las primarias como en las elecciones generales, la campaña de Obama estableció numerosos récords de recaudación de fondos, en particular en la cantidad de pequeñas donaciones. El 19 de junio de 2008, Obama se convirtió en el primer candidato presidencial de un partido mayoritario que rechazó la financiación pública en las elecciones generales desde que se creó el sistema en 1976.

John McCain fue nominado como el candidato republicano, y seleccionó a Sarah Palin como su compañera de fórmula. Los dos candidatos participaron en tres debates presidenciales en septiembre y octubre de 2008. El 4 de noviembre, Obama ganó la presidencia con 365 votos electorales frente a los 173 recibidos por McCain. Obama obtuvo el 52,9% del voto popular frente al 45,7% de McCain. Se convirtió en el primer afroamericano en ser elegido presidente. Obama pronunció su discurso de victoria ante cientos de miles de seguidores en el Grant Park de Chicago.

"No hay tal cosa como un voto que no importa. Todo importa." - Barack Obama

2012

El 4 de abril de 2011, Obama anunció su campaña de reelección para 2012 en un vídeo titulado "It Begins with Us" que publicó en su sitio web y presentó los documentos electorales a la Comisión Federal de Elecciones. Como presidente en ejercicio, se presentó prácticamente sin oposición en las primarias presidenciales del Partido Demócrata, y el 3 de abril de 2012, Obama había conseguido los 2778 delegados de la convención necesarios para ganar la nominación demócrata.

En la Convención Nacional Demócrata en Charlotte, Carolina del Norte, Obama y Joe Biden fueron nominados formalmente por el ex presidente Bill Clinton como candidatos del Partido Demócrata para presidente y vicepresidente en las elecciones generales. Sus principales oponentes fueron los republicanos Mitt Romney, ex gobernador de Massachusetts, y el representante Paul Ryan de Wisconsin.

El 6 de noviembre de 2012, Obama ganó 332 votos electorales, superando los 270 requeridos para ser reelegido como presidente. Con el 51,1% del voto popular, Obama se convirtió en el primer presidente demócrata desde Franklin D. Roosevelt en ganar la mayoría del voto popular en dos ocasiones. Obama se dirigió a los partidarios y voluntarios en el McCormick Place de Chicago después de su reelección y dijo: "Esta noche votaron por la acción, no por la política como de costumbre. Nos han elegido para que nos centremos en sus trabajos, no en los nuestros. Y en las próximas semanas y meses, estoy deseando llegar y trabajar con los líderes de ambos partidos".

Presidente (2009-2017)

Los primeros 100 días

La toma de posesión de Barack Obama como 44º presidente tuvo lugar el 20 de enero de 2009. En sus primeros días en el cargo, Obama emitió órdenes ejecutivas y memorandos presidenciales ordenando al ejército de los Estados Unidos que desarrollara planes para retirar las tropas de Irak. Ordenó el cierre del campo de detención de la Bahía de Guantánamo, pero el Congreso impidió el cierre al negarse a apropiarse de los fondos necesarios e impedir el traslado de cualquier detenido de Guantánamo a los Estados Unidos o a otros países.

Obama redujo el secreto de los registros presidenciales. También revocó el restablecimiento por parte del presidente George W. Bush de la política del presidente Ronald Reagan en la Ciudad de México que prohibía la ayuda federal a las organizaciones internacionales de planificación familiar que realizan o proporcionan asesoramiento sobre el aborto.

Política interna

El primer proyecto de ley firmado por Obama fue la Ley de Pago Justo de Lilly Ledbetter de 2009, que flexibiliza la prescripción de las demandas por igualdad de remuneración. Cinco días después, firmó la reautorización del Programa Estatal de Seguro Médico Infantil (SCHIP) para cubrir a cuatro millones de niños adicionales sin seguro.

En marzo de 2009, Obama revocó una política de la época de Bush que había limitado la financiación de la investigación con células madre embrionarias y se comprometió a elaborar "directrices estrictas" sobre la investigación.

Obama nombró a dos mujeres para servir en la Corte Suprema en los dos primeros años de su presidencia. Nombró a Sonia Sotomayor el 26 de mayo de 2009 para reemplazar al Juez Asociado David Souter que se retiraba; fue confirmada el 6 de agosto de 2009, convirtiéndose en la primera jueza del Tribunal Supremo de ascendencia hispana. Obama nominó a Elena Kagan el 10 de mayo de 2010 para reemplazar al Juez Asociado saliente John Paul Stevens. Fue confirmada el 5 de agosto de 2010, con lo que el número de mujeres que se sientan simultáneamente en el Tribunal asciende a tres jueces por primera vez en la historia de Estados Unidos.

El 30 de marzo de 2010, Obama firmó la Ley de Reconciliación de la Atención Médica y la Educación, un proyecto de ley de reconciliación que puso fin al proceso de concesión de subsidios por parte del gobierno federal a los bancos privados para otorgar préstamos asegurados a nivel federal, aumentó la concesión de becas Pell Grant e introdujo cambios en la Ley de Protección al Paciente y Atención Asequible.

En un importante discurso sobre política espacial en abril de 2010, Obama anunció un cambio de dirección previsto en la NASA, la agencia espacial estadounidense. Terminó los planes para el regreso de los vuelos espaciales humanos a la luna y el desarrollo del cohete Ares I, el cohete Ares V y el programa Constelación, a favor de la financiación de proyectos de ciencias de la Tierra, un nuevo tipo de cohete, e investigación y desarrollo para una eventual misión tripulada a Marte, y las misiones en curso a la Estación Espacial Internacional.

El discurso sobre el Estado de la Unión de 2011 del Presidente Obama se centró en los temas de la educación y la innovación, destacando la importancia de la economía de la innovación para que los Estados Unidos sean más competitivos a nivel mundial. Habló de un congelamiento de cinco años en el gasto interno, la eliminación de las exenciones fiscales para las compañías petroleras y la reversión de los recortes de impuestos para los estadounidenses más ricos, la prohibición de las asignaciones del Congreso y la reducción de los costos de la atención médica. Prometió que los Estados Unidos tendrían un millón de vehículos eléctricos en las carreteras para el año 2015 y dependerían en un 80% de la electricidad "limpia".

Derechos LGBT

El 8 de octubre de 2009, Obama firmó la Ley de Prevención de Delitos de Odio de Matthew Shepard y James Byrd Jr., una medida que amplió la ley federal de 1969 de los Estados Unidos sobre delitos de odio para incluir los delitos motivados por el género, la orientación sexual, la identidad de género o la discapacidad, reales o percibidos, de la víctima.

El 30 de octubre de 2009, Obama levantó la prohibición de viajar a los Estados Unidos por parte de las personas infectadas con el VIH, lo que fue celebrado por Immigration Equality.

El 22 de diciembre de 2010, Obama firmó la Ley de derogación "Don't Ask, Don't Tell" de 2010, que cumplió una promesa clave hecha en la campaña presidencial de 2008 de poner fin a la política "don't ask, don't tell" de 1993 que había impedido a los gays y lesbianas servir abiertamente en las Fuerzas Armadas de los Estados Unidos. En 2016, el Pentágono también puso fin a la política que prohibía a las personas transgénero servir abiertamente en el ejército.

Como candidato al senado del estado de Illinois en 1996, Obama había dicho que estaba a favor de legalizar el matrimonio entre personas del mismo sexo. Cuando se presentó al Senado en 2004, dijo que apoyaba las uniones civiles y las parejas de hecho para parejas del mismo sexo, pero que se oponía a los matrimonios entre personas del mismo sexo.

En 2008, reafirmó esta posición al afirmar que "creo que el matrimonio es entre un hombre y una mujer". No estoy a favor del matrimonio gay". El 9 de mayo de 2012, poco después del lanzamiento oficial de su campaña para la reelección como presidente, Obama dijo que sus puntos de vista habían evolucionado, y afirmó públicamente su apoyo personal a la legalización del matrimonio entre personas del mismo sexo, convirtiéndose en el primer presidente de EE.UU. en ejercicio que lo hace.

Durante su segundo discurso inaugural, el 21 de enero de 2013, Obama se convirtió en el primer presidente de EE.UU. en el cargo en pedir la plena igualdad para los estadounidenses homosexuales: "Nuestro viaje no está completo hasta que nuestros hermanos y hermanas gays sean tratados como cualquier otra persona bajo la ley, porque si somos realmente creados iguales, entonces seguramente el amor que nos comprometemos con los demás debe ser igual también". Esta fue la primera vez que un presidente mencionó los derechos de los gays o la palabra "gay" en un discurso inaugural.

En 2013, el Gobierno de Obama presentó escritos en los que instaba a la Corte Suprema a fallar a favor de las parejas del mismo sexo en los casos *Hollingsworth contra Perry* (en relación con el matrimonio entre personas del mismo sexo) y *Estados Unidos contra Windsor* (en relación con la Ley de Defensa del Matrimonio). Luego, tras la decisión de 2015 de la Corte Suprema en el caso *Obergefell c. Hodges* (que determinó que el matrimonio entre personas del mismo sexo es un derecho fundamental), Obama afirmó que "esta decisión afirma lo que millones de estadounidenses ya creen en sus corazones": Cuando todos los estadounidenses son tratados como iguales, todos somos más libres".

El 30 de julio de 2015, la Oficina de Política Nacional sobre el SIDA de la Casa Blanca revisó su estrategia para hacer frente a la enfermedad, que incluía pruebas generalizadas y la vinculación con la atención sanitaria, lo que fue celebrado por la Campaña de Derechos Humanos.

"Acabo de concluir que para mí, personalmente, es importante seguir adelante y afirmar que creo que las parejas del mismo sexo deberían poder casarse". - Barack Obama

Los grupos de asesoramiento y supervisión de la Casa Blanca

El 11 de marzo de 2009, Obama creó el Consejo de la Casa Blanca sobre Mujeres y Niñas, que formaba parte de la Oficina de Asuntos Intergubernamentales, habiendo sido establecido por la Orden Ejecutiva 13506 con un amplio mandato de asesorarlo en cuestiones relacionadas con el bienestar de las mujeres y niñas estadounidenses. El consejo estaba presidido por la Asesora Superior de la Presidenta Valerie Jarrett. Obama también estableció el Grupo de Tareas de la Casa Blanca para proteger a los estudiantes de la agresión sexual mediante un memorando del gobierno el 22 de enero de 2014, con el amplio mandato de asesorarlo en cuestiones relacionadas con la agresión sexual en los campus universitarios de todo Estados Unidos.

Los copresidentes del Grupo de Trabajo fueron el vicepresidente Joe Biden y Jarrett. El Grupo de Trabajo fue un desarrollo del Consejo de la Casa Blanca sobre Mujeres y Niñas y la Oficina del Vicepresidente de los Estados Unidos, y antes de eso la Ley de Violencia contra las Mujeres de 1994, redactada por primera vez por Biden.

La política económica

El 17 de febrero de 2009, Obama firmó la Ley de Recuperación y Reinversión Americana de 2009, un paquete de estímulo económico de 787.000 millones de dólares destinado a ayudar a la economía a recuperarse de la profundización de la recesión mundial. La ley incluye un aumento del gasto federal para la atención de la salud, la infraestructura, la educación, varias exenciones e incentivos fiscales y asistencia directa a las personas.

En marzo de 2009, el Secretario del Tesoro de Obama, Timothy Geithner, tomó nuevas medidas para gestionar la crisis financiera, incluida la introducción del Programa de Inversión Público-Privada para Activos del Legado, que contiene disposiciones para la compra de hasta dos billones de dólares en activos inmobiliarios depreciados.

Obama intervino en la problemática industria automotriz en marzo de 2009, renovando los préstamos para que General Motors y Chrysler continuaran sus operaciones mientras se reorganizaban. En los meses siguientes, la Casa Blanca fijó los términos de las quiebras de ambas firmas, incluyendo la venta de Chrysler al fabricante italiano de automóviles Fiat y una reorganización de GM dando al gobierno de EE.UU. una participación temporal del 60% en la compañía, con el gobierno canadiense tomando una participación del 12%.

En junio de 2009, insatisfecho con el ritmo del estímulo económico, Obama pidió a su gabinete que acelerara la inversión. Firmó la ley del Sistema de Reembolso de Subsidios de Automóviles, conocido coloquialmente como "Dinero para los Desperdicios", que impulsó temporalmente la economía.

Las administraciones de Bush y Obama autorizaron el gasto y las garantías de préstamo de la Reserva Federal y el Departamento del Tesoro. Estas garantías totalizaron alrededor de 11,5 billones de dólares, pero sólo 3 billones se habían gastado a finales de noviembre de 2009. Obama y la Oficina Presupuestaria del Congreso predijeron que el déficit presupuestario de 2010 sería de 1,5 billones de dólares o el 10,6% del producto interno bruto (PIB) de la nación, en comparación con el déficit de 2009 de 1,4 billones de dólares o el 9,9% del PIB. Para 2011, la administración predijo que el déficit se reduciría a 1,34 billones de dólares y que el déficit de 10 años aumentaría a 8,53 billones de dólares o el 90% del PIB. El aumento más reciente del techo de la deuda de los EE.UU. a 17,2 billones de dólares entró en vigor en febrero de 2014.

El 2 de agosto de 2011, después de un largo debate en el Congreso sobre si aumentar el límite de la deuda de la nación, Obama firmó la Ley de Control Presupuestario bipartidista de 2011. La legislación hace cumplir los límites de gasto discrecional hasta 2021, establece un procedimiento para aumentar el límite de la deuda, crea un Comité Conjunto Selecto del Congreso para la Reducción del Déficit para proponer una mayor reducción del déficit con el objetivo declarado de lograr al menos 1,5 billones de dólares en ahorros presupuestarios a lo largo de 10 años, y establece procedimientos automáticos para reducir el gasto hasta en 1,2 billones de dólares si la legislación originada en el nuevo comité conjunto selecto no logra tales ahorros. Al aprobar la legislación, el Congreso pudo evitar que el gobierno de EE.UU. incumpliera sus obligaciones.

Al igual que en 2008, la tasa de desempleo aumentó en 2009, alcanzando un máximo en octubre del 10,0% y un promedio del 10,0% en el cuarto trimestre. Tras una disminución al 9,7% en el primer trimestre de 2010, la tasa de desempleo cayó al 9,6% en el segundo trimestre, donde se mantuvo durante el resto del año. Entre febrero y diciembre de 2010, el empleo aumentó en un 0,8%, lo que fue inferior al promedio del 1,9% experimentado durante períodos comparables en las cuatro últimas recuperaciones de empleo. En noviembre de 2012, la tasa de desempleo cayó al 7,7%, disminuyendo al 6,7% en el último mes de 2013.

Durante 2014, la tasa de desempleo continuó disminuyendo, cayendo al 6,3% en el primer trimestre. El crecimiento del PIB volvió en el tercer trimestre de 2009, expandiéndose a un ritmo del 1,6%, seguido de un aumento del 5,0% en el cuarto trimestre. El crecimiento continuó en 2010, registrando un aumento del 3,7% en el primer trimestre, con menores ganancias en el resto del año. En julio de 2010, la Reserva Federal señaló que la actividad económica seguía aumentando, pero que su ritmo se había ralentizado, y el presidente Ben Bernanke dijo que las perspectivas económicas eran "inusualmente inciertas". En general, la economía se expandió a una tasa del 2,9% en 2010.

La Oficina Presupuestaria del Congreso (CBO) y una amplia gama de economistas acreditan el plan de estímulo de Obama para el crecimiento económico. La CBO publicó un informe que indica que el proyecto de ley de estímulo aumentó el empleo en 1-2,1 millones, mientras que concede que "es imposible determinar cuántos de los empleos reportados habrían existido en ausencia del paquete de estímulo".

Aunque una encuesta realizada en abril de 2010 entre los miembros de la Asociación Nacional de Economía Empresarial mostró un aumento en la creación de empleo (en comparación con una encuesta similar realizada en enero) por primera vez en dos años, el 73% de los 68 encuestados creían que el proyecto de ley de estímulo no había tenido repercusiones en el empleo. La economía de los Estados Unidos ha crecido más rápidamente que la de los demás miembros originales de la OTAN por un margen más amplio bajo el Presidente Obama que en cualquier otro momento desde el final de la Segunda

Guerra Mundial. La Organización para la Cooperación y el Desarrollo Económico atribuye el crecimiento mucho más rápido de los Estados Unidos al plan de estímulo de los Estados Unidos y a las medidas de austeridad de la Unión Europea.

A un mes de las elecciones de mitad de período de 2010, Obama anunció un acuerdo de compromiso con los líderes republicanos del Congreso que incluía una prórroga temporal de dos años de las tasas de impuestos sobre la renta de 2001 y 2003, una reducción de un año del impuesto sobre la nómina, la continuación de los beneficios de desempleo y una nueva tasa y cantidad de exención para los impuestos sobre el patrimonio. El compromiso superó la oposición de algunos en ambos partidos, y los 858.000 millones de dólares resultantes de la Ley de Alivio Fiscal, Reautorización del Seguro de Desempleo y Creación de Empleo de 2010 fueron aprobados con mayorías bipartidistas en ambas cámaras del Congreso antes de que Obama lo firmara el 17 de diciembre de 2010.

En diciembre de 2013, Obama declaró que la creciente desigualdad de ingresos es un "desafío definitorio de nuestro tiempo" y pidió al Congreso que reforzara la red de seguridad y aumentara los salarios. Esto se produjo después de las huelgas nacionales de los trabajadores de la comida rápida y de las críticas del Papa Francisco a la desigualdad y a la economía de goteo.

Obama instó al Congreso a ratificar un pacto de libre comercio entre 12 naciones llamado la Alianza Transpacífica.

Política medioambiental

Durante su campaña, Obama expresó su esperanza de que el Congreso regulara los gases de efecto invernadero y que, como segunda mejor vía, dicha regulación procediera del Organismo de Protección del Medio Ambiente.

El 30 de septiembre de 2009, la administración Obama propuso nuevas regulaciones para las plantas de energía, fábricas y refinerías de petróleo en un intento por limitar las emisiones de gases de efecto invernadero y frenar el calentamiento global.

El 20 de abril de 2010, una explosión destruyó una plataforma de perforación en el Prospecto Macondo en el Golfo de México, causando una importante fuga de petróleo sostenida. Obama visitó el Golfo, anunció una investigación federal y formó una comisión bipartidista para recomendar nuevos estándares de seguridad, después de una revisión del Secretario del Interior Ken Salazar y audiencias concurrentes en el Congreso. Luego anunció una moratoria de seis meses sobre nuevos permisos y arrendamientos de perforación en aguas profundas, en espera de una revisión regulatoria. Al fracasar los múltiples esfuerzos de BP, algunos en los medios de comunicación y el público expresaron confusión y críticas sobre varios aspectos del incidente, y manifestaron el deseo de una mayor participación de Obama y el gobierno federal.

En julio de 2013, Obama expresó sus reservas y dijo que "rechazaría el oleoducto Keystone XL si aumentaba la contaminación de carbono" o "las emisiones de efecto invernadero". Los asesores de Obama pidieron que se detuviera la exploración de petróleo en el Ártico en enero de 2013. El 24 de febrero de 2015, Obama vetó un proyecto de ley que habría autorizado el oleoducto. Fue el tercer veto de la presidencia de Obama y su primer veto importante.

Obama hizo hincapié en la conservación de las tierras federales durante su mandato. Utilizó el poder que le otorga la Ley de Antigüedades para crear 25 nuevos monumentos nacionales durante su presidencia y ampliar otros cuatro, protegiendo un total de 553.000.000 de acres (224.000.000 de hectáreas) de tierras y aguas federales, más que cualquier otro presidente de los Estados Unidos.

La reforma de la atención médica

"Firmaré un proyecto de ley de atención médica universal al final de mi primer mandato como presidente que

cubrirá a todos los americanos y reducirá el costo de la prima de una familia típica hasta en 2.500 dólares al año".
- Barack Obama

Obama pidió al Congreso que aprobara una legislación que reformara la atención médica en los Estados Unidos, una promesa clave de la campaña y una meta legislativa de primer orden. Propuso una expansión de la cobertura del seguro médico para cubrir a los no asegurados, aumentos máximos de las primas y permitir que las personas mantengan su cobertura cuando dejen o cambien de trabajo.

Su propuesta era gastar 900.000 millones de dólares en diez años e incluir un plan de seguros del gobierno, también conocido como la opción pública, para competir con el sector de los seguros empresariales como principal componente para reducir los costos y mejorar la calidad de la atención médica. También haría ilegal para las aseguradoras dejar a los enfermos o negarles cobertura por condiciones preexistentes, y requeriría que todos los estadounidenses tengan cobertura médica. El plan también incluye recortes en el gasto médico y en los impuestos de las compañías de seguros que ofrecen planes caros.

El 14 de julio de 2009, los líderes demócratas de la Cámara de Representantes introdujeron un plan de 1.017 páginas para la revisión del sistema de salud de Estados Unidos, que Obama quería que el Congreso aprobara para finales de 2009.

Después de mucho debate público durante el receso de verano del Congreso de 2009, Obama pronunció un discurso en una sesión conjunta del Congreso el 9 de septiembre en el que abordó las preocupaciones sobre las propuestas. En marzo de 2009, Obama levantó la prohibición de utilizar fondos federales para la investigación con células madre.

El 7 de noviembre de 2009, se aprobó en la Cámara de Representantes un proyecto de ley de atención médica con la opción pública. El 24 de diciembre de 2009, el Senado aprobó su propio proyecto de ley -sin opción pública- con una votación de 60 a 39 por parte de los partidos. El 21 de marzo de 2010, la Ley de Protección al Paciente y Atención Asequible (ACA) aprobada por el Senado en diciembre fue aprobada en la Cámara por una votación de 219 a 212. Obama firmó la ley el 23 de marzo de 2010.

La ley ACA incluye disposiciones relacionadas con la salud, la mayoría de las cuales entraron en vigor en 2014, entre ellas la ampliación de los requisitos de elegibilidad para Medicaid para las personas que constituyen hasta el 133% del nivel federal de pobreza (FPL) a partir de 2014, la subvención de las primas de seguros para las personas que constituyen hasta el 400% del FPL (88.000 dólares para familias de cuatro personas en 2010), de modo que su pago máximo "de bolsillo" para las primas anuales será del 2% al 9.5% de los ingresos, proporcionando incentivos para que las empresas proporcionen beneficios de atención médica, prohibiendo la denegación de cobertura y la denegación de reclamaciones basadas en condiciones preexistentes, estableciendo intercambios de seguros de salud, prohibiendo los topes de cobertura anual y apoyando la investigación médica. Según las cifras de la Casa Blanca y de la CBO, la proporción máxima de ingresos que tendrían que pagar los inscritos variaría en función de sus ingresos en relación con el nivel de pobreza federal.

Los costos de estas disposiciones se compensan con impuestos, tasas y medidas de ahorro, como los nuevos impuestos de Medicare para las personas de altos ingresos, los impuestos sobre el bronceado en interiores, los recortes del programa Medicare Advantage en favor del Medicare tradicional y las tasas sobre los dispositivos médicos y las empresas farmacéuticas; también hay una sanción fiscal para quienes no obtengan un seguro médico, a menos que estén exentos por bajos ingresos u otras razones.

En marzo de 2010, la CBO estimó que el efecto neto de ambas leyes será una reducción del déficit federal de 143.000 millones de dólares durante la primera década.

La ley se enfrentó a varios desafíos legales, principalmente basados en el argumento de que un mandato individual que requería que los estadounidenses compraran un seguro médico era inconstitucional. El 28 de junio de 2012, la Corte Suprema dictaminó por un voto de 5-4 en el caso *National Federation of Independent Business v. Sebelius* que el mandato era constitucional bajo la autoridad fiscal del Congreso de los Estados Unidos. En *Burwell v. Hobby Lobby, el Tribunal dictaminó* que las empresas con fines de lucro "cerradas" podían estar exentas, por motivos religiosos, en virtud de la Ley de Restauración de la Libertad Religiosa, de las normas adoptadas en el marco de la ACA que les habrían exigido pagar un seguro que cubriera determinados anticonceptivos.

En junio de 2015, el Tribunal dictaminó, en el caso *King c. Burwell,* que los subsidios para ayudar a las personas y las familias a adquirir un seguro médico estaban autorizados para quienes lo hicieran tanto en el intercambio federal como en los intercambios estatales, y no sólo para quienes adquirieran planes "establecidos por el Estado", como dice la ley.

El discurso de Obama sobre el cuidado de la salud ante el Congreso

El siguiente es un fragmento del discurso de Obama en el Congreso el 9 de septiembre de 2009:

"Por eso, según mi plan, los individuos deberán tener un seguro médico básico, como la mayoría de los estados exigen que tengan un seguro de automóvil. De igual manera, las empresas deberán ofrecer a sus trabajadores atención médica, o contribuir a cubrir el costo de sus trabajadores. Habrá una exención por dificultades económicas para aquellos individuos que todavía no pueden pagar la cobertura, y el 95% de todas las pequeñas empresas, debido a su tamaño y estrecho margen de beneficios, estarán exentas de estos requisitos. Pero no podemos tener grandes empresas e individuos que puedan permitirse la cobertura jugando con el sistema evitando la responsabilidad hacia ellos mismos o sus empleados. La mejora de nuestro sistema de salud sólo funciona si todos hacen su parte.

Aunque quedan algunos detalles importantes por pulir, creo que existe un amplio consenso sobre los aspectos del plan que acabo de esbozar: la protección de los consumidores para quienes tienen seguro, un intercambio que permite a los individuos y a las pequeñas empresas adquirir una cobertura asequible y el requisito de que las personas que pueden permitirse un seguro lo obtengan.

Y no tengo dudas de que estas reformas beneficiarán enormemente a los americanos de todas las clases sociales, así como a la economía en su conjunto. Aún así, dada toda la desinformación que se ha difundido en los últimos meses, me doy cuenta de que muchos estadounidenses se han puesto nerviosos por la reforma. Así que esta noche me gustaría abordar algunas de las controversias clave que todavía están ahí fuera. "

Política energética

Antes de junio de 2014, Obama ofreció un apoyo sustancial a un enfoque amplio de "todo lo anterior" en materia de política energética interna, que Obama ha mantenido desde su primer mandato y que confirmó por última vez en su discurso sobre el estado de la Unión en enero de 2014 ante una recepción mixta de ambas partes.

En junio de 2014, Obama dio indicaciones de que su administración consideraría un cambio hacia una política energética más ajustada a la industria manufacturera y su impacto en la economía nacional. El enfoque de Obama de combinar selectivamente la reglamentación y los incentivos para diversas cuestiones de la política energética nacional, como la minería del carbón y el fraccionamiento del petróleo, ha recibido comentarios contradictorios por no responder a las necesidades del sector manufacturero nacional en la medida necesaria, a raíz de las afirmaciones de que el sector manufacturero nacional utiliza hasta un tercio de los recursos energéticos disponibles de la nación.

Control de armas

El 16 de enero de 2013, un mes después del tiroteo en la Escuela Primaria Sandy Hook, Obama firmó 23 órdenes ejecutivas y esbozó una serie de propuestas radicales sobre el control de armas. Instó al Congreso a reintroducir una prohibición vencida de las armas de asalto de tipo militar, como las utilizadas en varios tiroteos masivos recientes, imponer límites a los cargadores de municiones a 10 cartuchos, introducir comprobaciones de antecedentes en todas las ventas de armas, aprobar una prohibición de la posesión y la venta de balas perforantes, introducir penas más severas para los traficantes de armas, especialmente los comerciantes sin licencia que compran armas para delincuentes y aprobar el nombramiento del jefe de la Oficina Federal de Alcohol, Tabaco, Armas de Fuego y Explosivos por primera vez desde 2006.

El 5 de enero de 2016, Obama anunció nuevas medidas ejecutivas que extienden los requisitos de verificación de antecedentes a más vendedores de armas. En un editorial de 2016 en *The New York Times*, Obama comparó la lucha por lo que denominó "reforma armamentista de sentido común" con el sufragio femenino y otros movimientos de derechos civiles de la historia de Estados Unidos.

Elecciones de mitad de período de 2010

Obama calificó las elecciones del 2 de noviembre de 2010, donde el Partido Demócrata perdió 63 escaños en la Cámara de Representantes y el control de la misma, de "humillante" y de "bombardeo". Dijo que los resultados se produjeron porque no había suficientes estadounidenses que sintieran los efectos de la recuperación económica.

Política de ciberseguridad e Internet

El 10 de noviembre de 2014, el Presidente Obama recomendó a la Comisión Federal de Comunicaciones que reclasificara el servicio de Internet de banda ancha como un servicio de telecomunicaciones para preservar la neutralidad de la red. El 12 de febrero de 2013, el Presidente Obama firmó el decreto 13636, "Mejora de la ciberseguridad de las infraestructuras críticas".

La vigilancia masiva del gobierno

En 2005 y 2006, Obama criticó ciertos aspectos de la Ley Patriota por infringir demasiado las libertades civiles y trató, en su calidad de senador, de reforzar las protecciones de las libertades civiles. En 2006, votó a favor de la reautorización de una versión revisada de la Ley Patriota, diciendo que la ley no era ideal pero que la versión revisada había fortalecido las libertades civiles.

En 2011, firmó una renovación de cuatro años de la Ley Patriota. Tras las revelaciones de vigilancia mundial de 2013 del denunciante Edward Snowden, Obama condenó la fuga por antipatriótica, pero pidió que se aumentaran las restricciones a la NSA para hacer frente a las violaciones de la privacidad. Sin embargo, los cambios que Obama ordenó han sido descritos como "modestos".

Política exterior

En febrero y marzo de 2009, el Vicepresidente Joe Biden y la Secretaria de Estado Hillary Clinton realizaron viajes separados al extranjero para anunciar una "nueva era" en las relaciones exteriores de los Estados Unidos con Rusia y Europa, utilizando los términos "romper" y "reiniciar" para señalar cambios importantes en las políticas de la administración anterior. Obama trató de llegar a los líderes árabes concediendo su primera entrevista a una cadena de televisión árabe por satélite, Al Arabiya.

El 19 de marzo, Obama continuó su acercamiento al mundo musulmán, lanzando un mensaje de año nuevo en video al pueblo y al gobierno de Irán. En abril, Obama dio un discurso en Ankara, Turquía, que fue bien recibido por muchos gobiernos árabes. El 4 de junio de 2009, Obama pronunció un discurso en la Universidad de El Cairo, en Egipto, en el que hizo un llamamiento para "un nuevo comienzo" en las relaciones entre el mundo islámico y los Estados Unidos y para promover la paz en el Oriente Medio.

El 26 de junio de 2009, Obama respondió a las acciones del gobierno iraní hacia los manifestantes después de las elecciones presidenciales de 2009 en Irán diciendo: "La violencia perpetrada contra ellos es indignante. La vemos y la condenamos". Durante su estancia en Moscú el 7 de julio, respondió al comentario del Vicepresidente Biden sobre un posible ataque militar israelí contra Irán diciendo: "Hemos dicho directamente a los israelíes que es importante tratar de resolver esto en un escenario internacional de manera que no cree un gran conflicto en el Medio Oriente."
El 24 de septiembre de 2009, Obama se convirtió en el primer presidente estadounidense en ejercicio que presidió una reunión del Consejo de Seguridad de las Naciones Unidas.

En marzo de 2010, Obama adoptó una postura pública contra los planes del gobierno del primer ministro israelí Benjamin Netanyahu de seguir construyendo proyectos de viviendas para judíos en barrios predominantemente árabes de Jerusalén Oriental. Durante el mismo mes, se llegó a un acuerdo con la administración del presidente ruso Dmitry Medvedev para reemplazar el Tratado de

Reducción de Armas Estratégicas de 1991 por un nuevo pacto que reduce el número de armas nucleares de largo alcance en los arsenales de ambos países en aproximadamente un tercio. Obama y Medvedev firmaron el nuevo tratado START en abril de 2010, y el Senado de los Estados Unidos lo ratificó en diciembre de 2010.

En diciembre de 2011, Obama instruyó a las agencias a considerar los derechos de los LGBT al emitir ayuda financiera a países extranjeros. En agosto de 2013, criticó la ley rusa que discrimina a los gays, pero no llegó a defender un boicot a los próximos Juegos Olímpicos de Invierno de 2014 en Sochi, Rusia.

En diciembre de 2014, Obama anunció su intención de normalizar las relaciones entre Cuba y los Estados Unidos. Las respectivas "secciones de intereses" de los países en las capitales de cada uno se convirtieron en embajadas el 20 de julio de 2015.

En marzo de 2015, Obama declaró que había autorizado a las fuerzas estadounidenses a prestar apoyo logístico y de inteligencia a los sauditas en su intervención militar en el Yemen, estableciendo una "Célula de Planificación Conjunta" con Arabia Saudita. En 2016, la administración Obama propuso una serie de acuerdos de armas con Arabia Saudita por valor de 115.000 millones de dólares. Obama detuvo la venta de tecnología de municiones guiadas a Arabia Saudita después de que los aviones de guerra saudíes se dirigieron a un funeral en la capital de Yemen, Sanaa, matando a más de 140 personas.

Antes de dejar el cargo, Obama dijo que la canciller alemana Angela Merkel había sido su "socio internacional más cercano" durante todo su mandato como presidente.

"Creo que el objetivo de una buena política exterior es tener una visión, aspiraciones e ideales, pero también reconocer el mundo tal como es, donde está, y averiguar cómo se puede llegar a un punto en el que las cosas sean mejores de lo que eran antes." - Barack Obama

La guerra en Irak

El 27 de febrero de 2009, Obama anunció que las operaciones de combate en Irak terminarían en 18 meses. Sus observaciones fueron hechas a un grupo de Marines que se preparan para ser desplegados en Afganistán. Obama dijo: "Permítanme decir esto tan claramente como pueda: para el 31 de agosto de 2010, nuestra misión de combate en Irak terminará". La administración Obama programó el retiro de las tropas de combate para ser completado en agosto de 2010, disminuyendo los niveles de tropas de 142.000 mientras que deja una fuerza de transición de alrededor de 50.000 en Irak hasta el final de 2011.

El 19 de agosto de 2010, la última brigada de combate de EE.UU. salió de Irak. Las tropas restantes pasaron de las operaciones de combate a la lucha contra el terrorismo y al entrenamiento, equipamiento y asesoramiento de las fuerzas de seguridad iraquíes. El 31 de agosto de 2010, Obama anunció que la misión de combate de Estados Unidos en Irak había terminado.

El 21 de octubre de 2011 el presidente Obama anunció que todas las tropas estadounidenses saldrían de Irak a tiempo para estar "en casa para las fiestas".

En junio de 2014, tras la captura de Mosul por ISIS, Obama envió 275 tropas para proporcionar apoyo y seguridad al personal de EE.UU. y a la Embajada de EE.UU. en Bagdad. ISIS continuó ganando terreno y cometiendo masacres generalizadas y limpieza étnica.

En agosto de 2014, durante la masacre de Sinjar, Obama ordenó una campaña de ataques aéreos de EE.UU. contra ISIS.
A finales de 2014, 3.100 tropas de tierra estadounidenses se comprometieron en el conflicto y 16.000 salidas volaron sobre el campo de batalla, principalmente por pilotos de la Fuerza Aérea y la Marina de los Estados Unidos.

A principios de 2015, con la adición de la "Brigada Pantera" de la 82ª División Aerotransportada, el número de tropas terrestres de EE.UU. en Irak aumentó a 4.400, y para julio las fuerzas aéreas de la coalición lideradas por los EE.UU. contaron 44.000 salidas sobre el campo de batalla.

Guerra en Afganistán

Al principio de su presidencia, Obama se movió para reforzar la fuerza de las tropas de EE.UU. en Afganistán. Anunció un aumento de los niveles de tropas estadounidenses a 17.000 efectivos militares en febrero de 2009 para "estabilizar una situación en deterioro en Afganistán", un área que, según dijo, no había recibido "la atención estratégica, la dirección y los recursos que requiere con urgencia". Reemplazó al comandante militar en Afganistán, el general David D. McKiernan, por el ex comandante de las Fuerzas Especiales, el teniente general Stanley A. McChrystal, en mayo de 2009, e indicó que la experiencia de McChrystal en las Fuerzas Especiales facilitaría el uso de tácticas de contrainsurgencia en la guerra.

El 1 de diciembre de 2009, Obama anunció el despliegue de 30.000 efectivos militares adicionales en Afganistán y propuso comenzar el retiro de tropas a 18 meses de esa fecha; esto tuvo lugar en julio de 2011. David Petraeus reemplazó a McChrystal en junio de 2010, después de que el personal de McChrystal criticara al personal de la Casa Blanca en un artículo de revista. En febrero de 2013, Obama dijo que el ejército de Estados Unidos reduciría el nivel de tropas en Afganistán de 68.000 a 34.000 tropas estadounidenses para febrero de 2014.

En octubre de 2015, la Casa Blanca anunció un plan para mantener indefinidamente las fuerzas estadounidenses en Afganistán a la luz del deterioro de la situación de seguridad.

Israel

En 2011, los Estados Unidos vetaron una resolución del Consejo de Seguridad que condenaba los asentamientos israelíes. Obama apoya la solución de dos estados para el conflicto árabe-israelí basada en las fronteras de 1967 con intercambio de tierras.

En junio de 2011, Obama dijo que el vínculo entre Estados Unidos e Israel es "inquebrantable". Durante los primeros años de la administración Obama, Estados Unidos aumentó la cooperación militar con Israel, incluyendo el aumento de la ayuda militar, el reestablecimiento del Grupo Político Militar Conjunto EE.UU.-Israel y el Grupo Asesor de Política de Defensa, y un aumento de las visitas entre los altos funcionarios militares de ambos países. La administración Obama pidió al Congreso que asignara dinero para financiar el programa de la Cúpula de Hierro en respuesta a las olas de ataques con cohetes palestinos contra Israel.

En 2013, Jeffrey Goldberg informó que, en opinión de Obama, "con cada nuevo anuncio de acuerdo, Netanyahu está llevando a su país por un camino hacia el aislamiento casi total". En 2014, Obama comparó el movimiento sionista con el Movimiento de Derechos Civiles en los Estados Unidos. Dijo que ambos movimientos buscan llevar justicia e igualdad de derechos a los pueblos históricamente perseguidos. Explicó: "Para mí, ser pro-israelí y pro-judío es parte de los valores por los que he estado luchando desde que tenía conciencia política y empecé a involucrarme en la política". Obama expresó su apoyo al derecho de Israel a defenderse durante el conflicto Israel-Gaza de 2014.

En 2015, Obama fue duramente criticado por Israel por defender y firmar el Acuerdo Nuclear con Irán; el primer ministro israelí Benjamin Netanyahu, que había abogado por que el Congreso de Estados Unidos se opusiera a él, dijo que el acuerdo era "peligroso" y "malo".

El 23 de diciembre de 2016, bajo la administración de Obama, los Estados Unidos se abstuvieron de la Resolución 2334 del Consejo de Seguridad de las Naciones Unidas, que condenaba la construcción de asentamientos israelíes en los territorios palestinos ocupados como una violación del derecho internacional, permitiéndola efectivamente. Netanyahu criticó fuertemente las acciones de la Administración Obama, y el gobierno israelí retiró sus cuotas anuales de la organización, que ascendían a 6 millones de dólares, el 6 de enero de 2017.

El 5 de enero de 2017, la Cámara de Representantes de los Estados Unidos votó 342-80 para condenar la Resolución de las Naciones Unidas.

Libia

En febrero de 2011 comenzaron las protestas en Libia contra el dictador de larga data Muammar Gaddafi como parte de la Primavera Árabe. Pronto se volvieron violentas. En marzo, a medida que las fuerzas leales a Gaddafi avanzaban sobre los rebeldes a través de Libia, llegaron llamamientos a favor de una zona de exclusión aérea desde todo el mundo, incluyendo Europa, la Liga Árabe y una resolución aprobada por unanimidad por el Senado de los Estados Unidos. En respuesta a la aprobación unánime de la Resolución del Consejo de Seguridad de las Naciones Unidas de 1973, el 17 de marzo, Gaddafi -que había prometido previamente "no mostrar piedad" con los rebeldes de Bengasi- anunció el cese inmediato de las actividades militares, aunque llegaron informes de que sus fuerzas continuaron bombardeando Misrata.

Al día siguiente, por orden de Obama, el ejército estadounidense participó en ataques aéreos para destruir la capacidad de defensa aérea del gobierno libio para proteger a los civiles y hacer cumplir una zona de exclusión aérea, incluyendo el uso de misiles Tomahawk, B-2 Spirits y aviones de combate. Seis días después, el 25 de marzo, por voto unánime de sus 28 miembros, la OTAN asumió el liderazgo del esfuerzo, denominado Operación Protector Unificado. Algunos representantes cuestionaron si Obama tenía la autoridad constitucional para ordenar una acción militar además de cuestionar su costo, estructura y consecuencias.

Guerra Civil Siria

El 18 de agosto de 2011, varios meses después del comienzo de la Guerra Civil Siria, Obama emitió una declaración escrita que decía: "Ha llegado el momento de que el Presidente Assad se haga a un lado". Esta postura fue reafirmada en noviembre de 2015. En 2012, Obama autorizó múltiples programas dirigidos por la CIA y el Pentágono para entrenar a los rebeldes anti-Assad. El programa dirigido por el Pentágono fue encontrado después como fallido y fue formalmente abandonado en octubre de 2015.

Tras un ataque con armas químicas en Siria, al que el gobierno de Obama culpó formalmente al gobierno de Assad, éste decidió no hacer cumplir la "línea roja" que había prometido y, en lugar de autorizar la prometida acción militar contra Assad, siguió adelante con el acuerdo negociado por Rusia que llevó a Assad a renunciar a las armas químicas; sin embargo, los ataques con gas cloro continuaron. En 2014, Obama autorizó una campaña aérea dirigida principalmente a ISIL.

Muerte de Osama bin Laden

A partir de la información recibida de los operativos de la Agencia Central de Inteligencia en julio de 2010, la CIA desarrolló durante los meses siguientes una inteligencia que determinó lo que creían que era el escondite de Osama bin Laden. Vivía aislado en un gran complejo en Abbottabad, Pakistán, un área suburbana a 35 millas (56 km) de Islamabad. El jefe de la CIA, Leon Panetta, informó de esta información al presidente Obama en marzo de 2011. En una reunión con sus asesores de seguridad nacional durante las siguientes seis semanas, Obama rechazó un plan para bombardear el complejo, y autorizó una "incursión quirúrgica" que será llevada a cabo por los SEAL de la Marina de los Estados Unidos.

La operación tuvo lugar el 1 de mayo de 2011, y resultó en la muerte a tiros de bin Laden y la incautación de papeles, unidades de ordenadores y discos del recinto. Las pruebas de ADN fueron uno de los cinco métodos utilizados para identificar positivamente el cadáver de bin Laden, que fue enterrado en el mar varias horas después. A los pocos minutos del anuncio del Presidente desde Washington, DC, a última hora de la tarde del 1 de mayo, hubo celebraciones espontáneas en todo el país mientras las multitudes se reunían fuera de la Casa Blanca, y en la Zona Cero de la ciudad de Nueva York y en Times Square. La reacción al anuncio fue positiva en todos los partidos, incluidos los ex presidentes Bill Clinton y George W. Bush.

Discurso sobre la muerte de Osama Bin Laden

El 2 de mayo de 2011, se dirigió a la Nación para anunciar que los Estados Unidos han matado a Osama bin Laden, el líder de al Qaeda.

Lo siguiente es un fragmento de ese discurso:

"Hoy, bajo mi dirección, los Estados Unidos lanzaron una operación dirigida contra ese complejo en Abbottabad, Pakistán. Un pequeño equipo de americanos llevó a cabo la operación con extraordinario coraje y capacidad. Ningún estadounidense resultó herido. Se ocuparon de evitar las bajas civiles. Después de un tiroteo, mataron a Osama bin Laden y se hicieron cargo de su cuerpo.

Durante más de dos décadas, bin Laden ha sido el líder y símbolo de Al Qaeda, y ha continuado planeando ataques contra nuestro país y nuestros amigos y aliados. La muerte de bin Laden marca el logro más significativo hasta la fecha en el esfuerzo de nuestra nación para derrotar a al Qaeda.

Sin embargo, su muerte no marca el final de nuestro esfuerzo. No hay duda de que Al Qaeda continuará con sus ataques contra nosotros. Debemos... y lo haremos... permanecer vigilantes en casa y en el extranjero".

"Por si no lo has oído, yo maté a Osama bin Laden". - Barack Obama

Las conversaciones nucleares de Irán

El 1 de octubre de 2009, la administración Obama siguió adelante con un programa de la administración Bush, aumentando la producción de armas nucleares. La iniciativa de "Modernización Compleja" expandió dos sitios nucleares existentes para producir nuevas partes de la bomba. La administración construyó nuevos pozos de plutonio en el laboratorio de Los Álamos en Nuevo México y expandió el procesamiento de uranio enriquecido en la instalación Y-12 en Oak Ridge, Tennessee.

En noviembre de 2013, el gobierno de Obama abrió negociaciones con Irán para evitar que adquiriera armas nucleares, que incluían un acuerdo provisional. Las negociaciones duraron dos años con numerosos retrasos, y el acuerdo se anunció el 14 de julio de 2015. El acuerdo, titulado "Plan de Acción Integral Conjunto", vio la eliminación de las sanciones a cambio de medidas que evitarían que Irán produjera armas nucleares. Mientras que Obama saludó el acuerdo como un paso hacia un mundo más esperanzador, el acuerdo recibió fuertes críticas de los sectores republicano y conservador, y del primer ministro israelí Benjamin Netanyahu.

Además, la transferencia de 1.700 millones de dólares en efectivo a Irán poco después de que se anunciara el acuerdo fue criticada por el partido republicano. La administración Obama dijo que el pago en efectivo se debía a la "eficacia de las sanciones estadounidenses e internacionales". Con el fin de avanzar en el acuerdo, la administración Obama protegió a Hezbollah de la investigación del Proyecto Cassandra de la Dirección de Lucha contra las Drogas en relación con el contrabando de drogas y de la Agencia Central de Inteligencia.

Por otro lado, el mismo año, en diciembre de 2015, Obama inició un programa de 348.000 millones de dólares para apoyar la mayor acumulación de armas nucleares de EE.UU. desde que Ronald Reagan dejó la Casa Blanca.

Relaciones con Cuba

Desde la primavera de 2013, se realizaron reuniones secretas entre los Estados Unidos y Cuba en los lugares neutrales de Canadá y la Ciudad del Vaticano. El Vaticano se involucró por primera vez en 2013 cuando el Papa Francisco aconsejó a los EE.UU. y Cuba intercambiar prisioneros como un gesto de buena voluntad. El 10 de diciembre de 2013, el presidente cubano Raúl Castro, en un momento público significativo, saludó y estrechó la mano de Obama en el servicio conmemorativo de Nelson Mandela en Johannesburgo.

En diciembre de 2014, después de las reuniones secretas, se anunció que Obama, con el Papa Francisco como intermediario, había negociado el restablecimiento de las relaciones con Cuba, después de casi sesenta años de distensión. Popularmente apodado el deshielo cubano, *The New Republic* consideró el deshielo cubano como "el mejor logro de la política exterior de Obama".

El 1 de julio de 2015, el presidente Obama anunció que se reanudarían las relaciones diplomáticas formales entre Cuba y los Estados Unidos, y se abrirían embajadas en Washington y La Habana. Las respectivas "secciones de intereses" de los países en las capitales de cada uno se convirtieron en embajadas el 20 de julio y el 13 de agosto de 2015, respectivamente.

Obama visitó La Habana, Cuba, durante dos días en marzo de 2016, convirtiéndose en el primer presidente de EE.UU. en ejercicio que llega desde Calvin Coolidge en 1928.

África

Obama habló frente a la Unión Africana en Addis Abeba, Etiopía, el 29 de julio de 2015, siendo el primer presidente de Estados Unidos en ejercicio en hacerlo. Pronunció un discurso en el que alentó al mundo a aumentar los vínculos económicos a través de las inversiones y el comercio con el continente, y elogió los progresos realizados en materia de educación, infraestructura y economía. También criticó la falta de democracia y de líderes que se niegan a dar un paso al costado, la discriminación contra las minorías (personas LGBT, grupos religiosos y étnicos) y la corrupción. Sugirió que se intensificara la democratización y el libre comercio para mejorar significativamente la calidad de vida de los africanos.

Durante su viaje en julio de 2015, Obama también fue el primer presidente estadounidense en visitar Kenia, que es la tierra natal de su padre.

El discurso de Hiroshima

El 27 de mayo de 2016, Obama se convirtió en el primer presidente estadounidense en ejercicio que visitó Hiroshima, Japón, 71 años después del bombardeo atómico de Hiroshima que puso fin a la Segunda Guerra Mundial. Acompañado por el Primer Ministro japonés Shinzō Abe, Obama rindió homenaje a las víctimas del bombardeo en el Museo Conmemorativo de la Paz de Hiroshima.

Rusia

Después de la invasión de Crimea por parte de Rusia en 2014, la intervención militar en Siria en 2015, y la interferencia en las elecciones presidenciales de EE.UU. en 2016, la política de Obama en Rusia fue ampliamente considerada como un fracaso. George Robertson, ex secretario de defensa del Reino Unido y secretario general de la OTAN, dijo que Obama había "permitido a Putin saltar de nuevo al escenario mundial y probar la resolución de Occidente", añadiendo que el legado de este desastre perduraría.

Imagen cultural y política

La historia familiar de Obama, su educación y la educación de la Ivy League difieren notablemente de las de los políticos afroamericanos que iniciaron sus carreras en la década de 1960 mediante la participación en el movimiento de derechos civiles. Expresando su perplejidad ante las preguntas sobre si es "suficientemente negro", Obama dijo en una reunión de agosto de 2007 de la Asociación Nacional de Periodistas Negros que "seguimos encerrados en la noción de que si se apela a los blancos, entonces debe haber algo malo". Obama reconoció su imagen juvenil en un discurso de campaña en octubre de 2007, diciendo: "No estaría aquí si, una y otra vez, la antorcha no hubiera sido pasada a una nueva generación".

A Obama se le llama frecuentemente un orador excepcional. Durante su período de transición previo a la inauguración y continuando en su presidencia, Obama entregó una serie de direcciones semanales de video en Internet. En sus discursos como presidente, Obama no hizo más referencias abiertas a las relaciones raciales que sus predecesores, pero según un estudio, implementó medidas políticas más fuertes en favor de los afroamericanos que cualquier otro presidente desde la era de Nixon.

Según la Organización Gallup, Obama comenzó su presidencia con un 68% de aprobación antes de disminuir gradualmente durante el resto del año, y finalmente tocó fondo con un 41% en agosto de 2010, una tendencia similar a la de los primeros años de Ronald Reagan y Bill Clinton en el cargo. Experimentó un pequeño rebote en las encuestas poco después de la muerte de Osama bin Laden el 2 de mayo de 2011.

Este rebote duró hasta alrededor de junio de 2011, cuando sus números de aprobación bajaron hasta donde estaban anteriormente. Sus índices de aprobación rebotaron alrededor de la misma época de su reelección en 2012, con encuestas que mostraban un promedio de aprobación del trabajo del 52% poco después de su segunda toma de posesión. A pesar de que los índices de aprobación cayeron al 39% a finales de 2013 debido al despliegue de la ACA, subieron al 50% en enero de 2015 según Gallup.

Las encuestas mostraron un fuerte apoyo a Obama en otros países, tanto antes como durante su presidencia. En una encuesta realizada en febrero de 2009 en Europa occidental y en los Estados Unidos por Harris Interactive para France 24 y el *International Herald Tribune*, Obama fue calificado como el líder mundial más respetado, así como el más poderoso. En una encuesta similar realizada por Harris en mayo de 2009, Obama fue calificado como el líder mundial más popular, así como la figura en la que la mayoría de las personas depositarían sus esperanzas para sacar al mundo de la recesión económica.

Obama ganó los premios Grammy al mejor álbum de palabra hablada por las versiones abreviadas en audio-libro de *Dreams from My Father* en febrero de 2006 y por *The Audacity of Hope* en febrero de 2008. Su discurso de concesión después de las primarias de New Hampshire fue musicalizado por artistas independientes como el video musical "Yes We Can", que fue visto diez millones de veces en YouTube en su primer mes y recibió un premio Emmy por el día. En diciembre de 2008 y en 2012, la revista *Time* nombró a Obama como su Persona del Año. El premio de 2008 fue para su histórica candidatura y elección, que *Time* describió como "la constante marcha de logros aparentemente imposibles".

El 25 de mayo de 2011, Obama se convirtió en el primer Presidente de los Estados Unidos en dirigirse a ambas cámaras del Parlamento del Reino Unido en Westminster Hall, Londres. Este fue sólo el quinto acontecimiento desde el comienzo del siglo XX en el que un jefe de Estado recibe esta invitación, después de Charles de Gaulle en 1960, Nelson Mandela en 1996, la Reina Isabel II en 2002 y el Papa Benedicto XVI en 2010.

El 9 de octubre de 2009, el Comité Noruego del Premio Nobel anunció que Obama había ganado el Premio Nobel de la Paz de 2009 "por sus extraordinarios esfuerzos para fortalecer la diplomacia internacional y la cooperación entre los pueblos". Obama aceptó este premio en Oslo (Noruega) el 10 de diciembre de 2009, con "profunda gratitud y gran humildad". El premio suscitó una mezcla de elogios y críticas de los líderes mundiales y las figuras de los medios de comunicación. *El premio de* la paz de Obama fue calificado de "sorpresa sorprendente" por el *New York Times*. Algunos neoconservadores elogiaron su discurso por lo que consideraron un contenido pro-estadounidense. Se convirtió en el cuarto presidente de EE.UU. en recibir el Premio Nobel de la Paz y el tercero en recibirlo mientras estaba en el cargo.

El Premio Nobel de Obama ha sido visto con escepticismo en los años siguientes, especialmente después de que el director del Instituto Nobel, Geir Lundestad, dijera que el Premio de la Paz de Obama no tuvo el efecto deseado de alentar al presidente.

"Sería negligente si no reconociera la considerable controversia que su generosa decisión ha generado. En parte, esto se debe a que estoy al principio, y no al final, de mi labor en el escenario mundial." - Barack Obama

Post-presidencia (2017-presente)

La presidencia de Obama terminó al mediodía del 20 de enero de 2017, inmediatamente después de la toma de posesión de su sucesor republicano, Donald Trump. Después de la toma de posesión, Obama despegó en el Executive One, dio una vuelta por la Casa Blanca y voló a la Base Conjunta Andrews. La familia actualmente alquila una casa en Kalorama, Washington, D.C.

El 2 de marzo de 2017, la Biblioteca y Museo Presidencial John F. Kennedy otorgó el premio anual Profile in Courage a Obama "por su permanente compromiso con los ideales democráticos y por elevar el nivel de coraje político". En su primera aparición pública fuera de la oficina, Obama apareció en un seminario en la Universidad de Chicago el 24 de abril. El seminario tenía como objetivo el compromiso con una nueva generación, así como un llamamiento a su participación en la política.

El 4 de mayo, tres días antes de las elecciones presidenciales francesas, Obama apoyó públicamente al centrista Emmanuel Macron por encima del populista de derecha Marine Le Pen: "Apela a las esperanzas y no a los miedos de la gente, y disfruté hablando con Emmanuel recientemente para escuchar sobre su movimiento independiente y su visión del futuro de Francia". Macron ganó las elecciones.

Durante su estancia en Berlín el 25 de mayo, Obama hizo una aparición pública conjunta con la canciller Angela Merkel en la que hizo hincapié en la inclusión y en que los líderes se cuestionaran a sí mismos. Obama había sido formalmente invitado a Berlín mientras estaba en el cargo como parte de un esfuerzo para impulsar la campaña de reelección de Merkel. Obama viajó al Palacio de Kensington en Inglaterra y se reunió con el Príncipe Harry el 27 de mayo de 2017; Obama tweeteó después que ambos discutieron sus fundamentos y ofrecieron sus condolencias tras el atentado en el Manchester Arena que ocurrió cinco días antes.
Después de que el Presidente Trump anunciara su retirada de los Estados Unidos del Acuerdo de París el 1 de junio, Obama emitió una declaración en la que no estaba de acuerdo con la elección: "Pero incluso en ausencia de liderazgo estadounidense; incluso cuando esta administración se une a un pequeño puñado de naciones que rechazan el futuro; confío en que nuestros estados, ciudades y empresas darán un paso adelante y harán aún más para marcar el camino y ayudar a proteger para las generaciones futuras el único planeta que tenemos".

Después de que los republicanos del Senado revelaron la Ley de Reconciliación de Mejor Atención de 2017, su borrador de discusión de un proyecto de ley de atención de la salud para reemplazar la Ley de Atención Asequible, el 22 de junio, Obama publicó un post en Facebook llamando al proyecto de ley "una transferencia masiva de riqueza de la clase media y las familias pobres a las personas más ricas de América". El 19 de septiembre, mientras pronunciaba el discurso de apertura en la reunión de los porteros, Obama admitió su frustración por el apoyo de los republicanos a "un proyecto de ley que aumentará los costos, reducirá la cobertura y hará retroceder las protecciones para los estadounidenses mayores y las personas con afecciones preexistentes".

Después de que el Fiscal General Jeff Sessions anunciara el 5 de septiembre la terminación del programa de Acción Diferida para la Llegada de Niños (DACA), Obama publicó un post en Facebook criticando la decisión. Dos días después, se asoció con los ex presidentes Jimmy Carter, George H. W. Bush, Bill Clinton y George W. Bush para trabajar con One America Appeal para ayudar a las víctimas del huracán Harvey y del huracán Irma en las comunidades de la Costa del Golfo y de Texas.

Obama fue el anfitrión de la cumbre inaugural de la Fundación Obama en Chicago del 31 de octubre al 1 de noviembre de 2017. Obama pretende que la fundación sea el centro de atención de su presidencia y que parte de sus ambiciones para que sus actividades posteriores a la presidencia sean más consecuentes que su tiempo en el cargo. Obama también ha escrito unas memorias presidenciales, en un acuerdo de 65 millones de dólares con Penguin Random House. El libro, *A Promised Land*, fue publicado el 17 de noviembre de 2020.

Obama realizó un viaje internacional del 28 de noviembre al 2 de diciembre de 2017 y visitó China, India y Francia. En China, pronunció unas palabras en la Cumbre de la Alianza Global de PYMES en Shanghai y se reunió con el líder del Partido Comunista Chino, Xi Jinping, en Beijing. Luego fue a la India, donde habló en la Cumbre de Liderazgo del Hindustan Times antes de reunirse con el Primer Ministro indio Narendra Modi durante el almuerzo. Además, celebró un ayuntamiento para jóvenes líderes, organizado por la Fundación Obama. También se reunió con el Dalai Lama mientras estaba en Nueva Delhi. Terminó su viaje de cinco días en Francia, donde se reunió con el Presidente francés Emmanuel Macron, el ex Presidente François Hollande y la alcaldesa de París, Anne Hidalgo, y luego habló en un acto al que sólo se podía asistir por invitación, abordando cuestiones relacionadas con el clima.

En mayo de 2018, Obama criticó la decisión del presidente Trump de retirarse del acuerdo nuclear con Irán bajo el Plan de Acción Integral Conjunto diciendo que "el acuerdo estaba funcionando y era en los intereses de EE.UU.".
Barack y Michelle Obama firmaron un acuerdo el 22 de mayo de 2018 para producir series documentales, documentales y reportajes para Netflix bajo la recién creada compañía de producción de los Obama, Higher Ground Productions. Sobre el acuerdo, Michelle dijo "Siempre he creído en el poder de la narración de historias para inspirarnos, para hacernos pensar de forma diferente sobre el mundo que nos rodea, y para ayudarnos a abrir

nuestras mentes y corazones a los demás". La primera película de Higher Ground, *American Factory, ganó* el premio de la Academia al mejor documental en 2020.

Un paquete que contenía una bomba de tubo fue enviado a la casa de Obama en Washington, D.C., el 24 de octubre de 2018. El paquete fue interceptado por el Servicio Secreto durante las revisiones rutinarias del correo. Paquetes similares fueron enviados a varios otros líderes demócratas, sobre todo a aquellos que expresaron fuertes objeciones a las políticas de Donald Trump, así como uno a la CNN. Debbie Wasserman Schultz fue dirigida como la supuesta remitente de los paquetes. El 26 de octubre de 2018, César Sayoc fue arrestado y se enfrentó a cinco cargos federales en Manhattan con una sentencia máxima combinada de 48 años tras las rejas en relación con las bombas de tubo. Fue sentenciado a un máximo de 20 años de prisión el 5 de agosto de 2019.

En 2019, Barack y Michelle Obama compraron una casa en Martha's Vineyard a Wyc Grousbeck.

El 14 de abril de 2020, Obama apoyó a su ex vicepresidente Joe Biden para presidente en las elecciones de 2020.

En mayo de 2020, Obama criticó al Presidente Trump por su manejo de la pandemia del coronavirus, calificando su respuesta a la crisis como "un desastre caótico absoluto". Trump tomó represalias acusando a Obama de haber cometido "el mayor crimen político de la historia americana", aunque se negó a decir de qué hablaba, diciendo a los periodistas: "Ya saben cuál es el crimen, el crimen es muy obvio para todo el mundo".

El 16 de mayo de 2020, Obama pronunció dos discursos de apertura en nombre de los jóvenes graduados que no pudieron asistir a sus ceremonias de graduación física debido a la pandemia de COVID-19. Su primer discurso fue para parte del programa de video en línea, "Muéstrame tu caminata Edición H.B.C.U." de inicio virtual.

En su discurso, habló sobre el racismo sistémico, refiriéndose tanto a la pandemia de coronavirus, la muerte a tiros de Ahmaud Arbery, como a la lucha por mantenerse políticamente activo diciendo: "La lucha por la igualdad y la justicia comienza con la conciencia, la empatía, la pasión, incluso la ira justa". No te actives sólo en línea, el cambio requiere estrategia, acción, organización, marcha y votación en el mundo real como nunca antes". Su siguiente discurso de apertura fue parte de un evento televisado a nivel nacional, titulado Graduados Juntos*: América honra a la clase de secundaria del 2020* que se transmitió en la NBC.

Legado

El legado más significativo de Obama se considera generalmente la Ley de Protección al Paciente y Cuidado de Salud Asequible (PPACA), cuyas disposiciones entraron en vigor entre 2010 y 2020. Muchos intentos de los republicanos del Senado de derogar la PPACA, incluyendo una "derogación delgada", han fracasado hasta ahora. Junto con la enmienda de la Ley de Reconciliación de la Atención Médica y la Educación, representa la revisión normativa y la expansión de la cobertura más significativas del sistema de atención médica de los Estados Unidos desde la aprobación de Medicare y Medicaid en 1965.

Muchos comentaristas atribuyen a Obama el haber evitado la amenaza de una depresión y haber sacado a la economía de la Gran Recesión. Según la Oficina de Estadísticas Laborales de EE.UU., la administración de Obama creó 11,3 millones de puestos de trabajo desde el mes después de su primera toma de posesión hasta el final de su mandato.

En 2010, Obama firmó la Ley Dodd-Frank de Reforma de Wall Street y Protección al Consumidor. Aprobada como respuesta a la crisis financiera de 2007-08, trajo los cambios más significativos en la regulación financiera de los Estados Unidos desde la reforma regulatoria que siguió a la Gran Depresión bajo el presidente demócrata Franklin D. Roosevelt.

En 2009, Obama firmó la Ley de Autorización de la Defensa Nacional para el Año Fiscal 2010, que contenía la Ley de Prevención de los Delitos de Odio de Matthew Shepard y James Byrd Jr. La Ley de prevención de delitos motivados por el odio de Matthew Shepard y James Byrd Jr. amplió las leyes federales de delitos motivados por el odio existentes en los Estados Unidos para que se aplicaran a los delitos motivados por el género, la orientación sexual, la identidad de género o la discapacidad, reales o percibidos, de la víctima, y eliminó el requisito previo de que ésta participara en una actividad protegida a nivel federal.

Como presidente, Obama promovió los derechos de los LGBT. En 2010, firmó la Ley de derogación "No preguntes, no digas", que puso fin a la política de "no preguntes, no digas" en las fuerzas armadas de EE.UU. que prohibía el servicio abierto a las personas LGBT; la ley entró en vigor al año siguiente.

En 2016, su administración puso fin a la prohibición de que los transexuales sirvieran abiertamente en las fuerzas armadas de los Estados Unidos. Una encuesta de Gallup, realizada en los últimos días del mandato de Obama, mostró que el 68% de los estadounidenses creían que los EE.UU. había hecho progresos en la situación de los gays y las lesbianas durante los ocho años de Obama en el cargo.

Obama intensificó sustancialmente el uso de ataques con drones contra presuntos militantes y terroristas asociados con Al-Qaeda y los talibanes. En 2016, el último año de su presidencia, EE.UU. lanzó 26.171 bombas sobre siete países diferentes. Obama dejó unos 8.400 soldados estadounidenses en Afganistán, 5.262 en Irak, 503 en

Siria, 133 en Pakistán, 106 en Somalia, siete en Yemen y dos en Libia al final de su presidencia.

Según el Centro de Investigación Pew y la Oficina de Estadísticas de Justicia de los Estados Unidos, desde el 31 de diciembre de 2009 hasta el 31 de diciembre de 2015, los reclusos condenados bajo custodia federal de los Estados Unidos disminuyeron en un cinco por ciento. Esta es la mayor disminución de presos condenados bajo custodia federal de EE.UU. desde el presidente demócrata Jimmy Carter. Por el contrario, la población penitenciaria federal aumentó significativamente bajo los presidentes Ronald Reagan, George H. W. Bush, Bill Clinton y George W. Bush.

Obama dejó el cargo en enero de 2017 con un índice de aprobación del 60%. Una encuesta de historiadores realizada en 2018 por la Asociación Americana de Ciencias Políticas clasificó a Obama como el octavo mayor presidente americano. Obama ganó 10 puestos en la misma encuesta en 2015 de la Institución Brookings que clasificó a Obama como el 18° mayor presidente americano.

"Entiendan, la democracia no requiere uniformidad. Nuestros fundadores discutieron y se comprometieron, y esperaban que nosotros hiciéramos lo mismo. Pero sabían que la democracia requiere un sentido básico de solidaridad, la idea de que, a pesar de nuestras diferencias externas, estamos todos juntos en esto; que nos levantamos o caemos como uno solo". - Barack Obama

Biblioteca presidencial

El Centro Presidencial Barack Obama es la biblioteca presidencial prevista por Obama. Será auspiciada por la Universidad de Chicago y ubicada en el Parque Jackson en el lado sur de Chicago.

Disfruta de todos nuestros libros gratis...

Interesantes biografías, atractivas presentaciones y más.
Únete al exclusivo club de críticos de la Biblioteca Unida!
Recibirás un nuevo libro en tu buzón cada viernes.
Únase a nosotros hoy, vaya a:
https://campsite.bio/unitedlibrary

LIBROS DE LA BIBLIOTECA UNIDA

Kamala Harris: La biografía
Barack Obama: La biografía
Joe Biden: La biografía
Adolf Hitler: La biografía
Albert Einstein: La biografía
Aristóteles: La biografía
Donald Trump: La biografía
Marco Aurelio: La biografía

Napoleón Bonaparte: La biografía
Nikola Tesla: La biografía
Papa Benedicto: La biografía
El Papa Francisco: La biografía
Y más...
Vea todos nuestros libros publicados aquí:
https://campsite.bio/unitedlibrary

SOBRE LA BIBLIOTECA UNIDA

La Biblioteca Unida es un pequeño grupo de escritores entusiastas. Nuestro objetivo es siempre publicar libros que marquen la diferencia, y estamos muy preocupados por si un libro seguirá vivo en el futuro. United Library es una compañía independiente, fundada en 2010, y ahora publica alrededor de 50 libros al año.

Joseph Bryan - FUNDADOR/EDITOR DE GESTIÓN

Amy Patel - ARCHIVISTA Y ASISTENTE DE PUBLICACIÓN

Mary Kim - DIRECTORA DE OPERACIONES

Mary Brown - EDITORA Y TRADUCTORA

Terry Owen - EDITOR

Lightning Source UK Ltd.
Milton Keynes UK
UKHW020707080321
379980UK00016B/2459